D0809760

# AMOURS
## *de jeunesse*

# AMOURS
## *de jeunesse*

DEBORAH AYDT

*traduit de l'anglais par*
**Brigitte Amat**

**ÉDITIONS HÉRITAGE**
MONTRÉAL

**Données de catalogage avant publication (Canada)**

Aydt, Deborah

Amours de jeunesse

(Coeur à coeur).
Traduction de: Love games.
Pour adolescents.

ISBN 2-7625-3087-3

I. Titre. II. Collection.

PS3551.Y37L6814 1987      j813'.54      C88-096035-3

Dépôts légaux: 4e trimestre 1987
Bibliothèque nationale du Québec
Bibliothèque nationale du Canada

ISBN: 2-7625-3087-3    Imprimé au Canada

Photocomposition: Multi-Art-Compo (MAC) (1987) Inc.

LES ÉDITIONS HÉRITAGE INC.
300, rue Arran, Saint-Lambert, Québec  J4R 1K5
(514) 875-0327

# CHAPITRE UN

Je ne suis pas si vieille que ça, mais j'ai l'impression que ma deuxième année de collège à Santa Fe, Nouveau Mexique, remonte à un siècle. Beaucoup de gens, en grandissant, oublient ce que c'est que d'être jeune, mais moi je ne l'oublierai jamais!

Cette année a quelque chose de plus marquant que les autres années, un air de gaîté et de mélancolie en même temps. Tout est plus intense, plus triste, plus doux.

Je sens mon coeur se gonfler. Cela fait un peu schizophrène mais je peux rester tranquillement assise tout en éclatant presque sous l'effet des idées et des sensations nouvelles qui m'agitent. Dans mon esprit, à l'arrière-plan, une image prend forme — l'image de ce que je serai un jour.

Je vais être quelqu'un de très bien. Pas dans l'immédiat, je le sais, mais assez vite.

Parfois, je m'excite, me cognant aux murs, en me voyant vivre ma vie hors du Nouveau Mexique. D'autres fois, je veux seulement rester éternellement jeune, jouer et me terrer dans ma chambre.

Je reste étendue sur mon lit et je rêve tout éveillée — à moi, à tel ou tel garçon que je connais. Quand on a seize ans, ou qu'on est sur le point de les avoir, il n'y a pas de sujet plus intéressant. Je rêve aussi de m'échapper. Quand mes 75 % de parents (Martin est mon beau-père, donc les 25 % en question) m'agacent au point d'en crier, je m'imagine que je quitte le Nouveau Mexique pour toujours, que je vais à des centaines de kilomètres du collège.

Mais cela ne m'arrive pas souvent, car quiconque demeure à Santa Fe ne peut pas être vraiment malheureux. C'est une ville étrange et belle. Les maisons sont en torchis; elles ont l'air d'avoir poussé du sol, comme si elles provenaient d'une graine invraisemblable. Sur tous les côtés de la Plaza, les montagnes éclatent dans le ciel, un ciel splendide, radieux: rose et bleu lavande au coucher du soleil, d'un bleu surréel le reste du temps.

Et les gens sont aussi colorés que les couchers de soleil. Ce sont des excentriques, des originaux. Je dois avouer que même maman et Martin tombent dans cette catégorie. Maman, avec son beau visage triste et son regard qui vous transperce; Martin, joues rouges, jovial, propriétaire d'un restaurant situé sur le chemin Canyon et passionné de base-ball. C'est une autorité en matière de base-ball et, comme restaurateur, il a une bonne réputation. Pendant la saison du base-ball, il a une télévision dans la grande cuisine de son restaurant, le

Chile House. Le volume du son est bas jusqu'au dernier lancer, puis Martin met l'énorme lave-vaisselle en marche pour étouffer les commentaires. À peu près une fois tous les étés, le journal local le prend en photo devant le Chile House, en tablier rouge de boucher et une casquette des Texas Rangers sur la tête, avec ma séduisante mère à ses côtés.

Maman est absolument folle de Martin, qui ressemble à un chien beagle avec ses grandes oreilles et ses yeux noirs. Elle aime parler de la chance qu'elle a eue de le rencontrer après mon père qui était (j'imagine!) un désastre. Je ne sais rien de mon père sinon que c'est un gros blond qui avait horreur de rester à la maison. Et j'ai eu bien du mal à obtenir cette miette d'information. Arriver à faire parler ma mère de mon père est comme une mission impossible!

À voir ma mère, on ne croirait pas qu'elle soit le genre de créature à ensorceler deux hommes. Elle est jolie certes, mais d'une beauté fanée. Elle a les yeux bleus, avec des cernes bleus aussi. Mais elle doit avoir quelque chose qui attire les hommes d'un certain âge, car ils la traitent comme une poupée de porcelaine. Je ne sais pas comment elle s'y prend. Il se trouve toujours quelqu'un pour avancer sa chaise ou lui ouvrir la porte. Les gens l'appellent ''chère amie'', pas Ellen.

Complètement à l'opposé, il y a moi! Personne ne m'appelle ''chère amie''. On m'appelle Molly,

Molly Lasker, depuis que Martin m'a adoptée juste après le championnat de base-ball de 1979. Pour ce qui est des noms, je ne suis pas difficile, mais Candy ferait beaucoup mieux que Molly, en lettres de néon sur la façade d'un théâtre de Broadway.

Je me dis qu'après tout ce n'est pas impossible. En effet, j'ai l'impression que, si je suis connue un jour, ce sera en tant que comédienne. C'est étrange parce que, même pendant les répétitions de théâtre décontractées du collège, je suis paralysée par le trac.

Mais je n'ai pas d'autre talent à exploiter. Je ne pense pas pouvoir être écrivaine. Je n'ai jamais pu apprendre à rédiger une phrase correctement. J'aime les mots, mais la grammaire et les parties du discours ont autant d'intérêt pour moi que la poussière sous les meubles! Je ne peux pas devenir dessinatrice ni peintre parce que mes personnages ont toujours l'air d'animaux. D'après mademoiselle Fabiola Romero Bruce, notre professeure espagnole de musique, je ne peux pas devenir chanteuse non plus.

— Chère Molly, dit-elle, *chère* Molly…, lorsque nous interprétons un chant grégorien, laisse ta voix filer légèrement et simplement. Tu croasses comme une grenouille.

Par contre, je suis capable de mémoriser des vers à la folie : quarante vers en une heure, parfois plus. J'ai ce que l'on appelle une mémoire photographique. Je danse, pas très bien, mais on peut reconnaître à mes mouvements que je danse. Et, physiquement, je ne suis pas mal. J'ai les yeux bleus, les cheveux bruns et un beau sourire.

Quand j'ai fait un bout d'essai en vue du premier rôle dans notre pièce, eh bien, c'est incroyable, mais je l'ai eu! Pas parce que je suis une jeune Katharine Hepburn, mais parce que la fille dans *Notre ville*, de Thornton Wilder, — Emily, c'est son nom — est une nigaude facile à interpréter. Le personnage doit avoir des cheveux longs, flottants — c'est justement mon cas — et une petite voix chevrotante, que me donne le trac. Madame Gianelli, qui nous fait répéter, ne peut pas se retenir en m'entendant lire.

— Tu l'as! C'est ça!

Mes amygdales n'arrêtent pas de trembloter de peur, tout simplement.

Mais je suis terriblement heureuse, parce que Sam Rutledge joue dans la pièce, lui aussi. Sam, que j'aime en silence.

C'est quand j'ai décroché ce premier rôle que j'ai commencé à penser sérieusement à quitter le Nouveau Mexique un jour pour faire quelque chose d'excitant ailleurs. Nos montagnes peuvent bien être belles, mais j'en ai plus qu'assez des sapins, des odeurs de restaurant, des maniaques du baseball et des coups nerveux de ma mère à la porte de ma chambre. Je pense que Broadway peut constituer un agréable changement, même si cette idée me donne de l'urticaire. J'ai besoin de quelque chose de différent.

J'ai dû lancer ce souhait dans les airs où il est resté en suspension, car il est revenu comme un boomerang un peu plus tard, le jour de mes seize ans. Quelque chose de différent m'attendait effectivement au tournant, quelque chose à quoi je ne m'attendais pas, mais pas du tout...

# CHAPITRE DEUX

Les anniversaires se déroulent traditionnellement à la maison. Martin, toutes les fois qu'un Lasker, lui compris, fête son anniversaire, revient du restaurant chargé d'empanaditas (ce sont de petits pâtés), d'un gâteau au chocolat blanc et de crème glacée au miel. C'est une manière efficace de célébrer, si l'on veut une fête agréable et le diabète en plus!

Je ne suis pas aussi gourmande que Martin, mais j'ai horreur de le chiffonner. Alors, je fais de la bicyclette en prévision des anniversaires, ou toutes les fois que je sais d'avance que Martin va organiser une de ses fêtes sucrées. Le jour de mes seize ans, je gravis la route de Hyde Park, en première vitesse pour que ce soit aussi grisant qu'un test cardiaque.

La route est bonne, aussi bonne que peut l'être une route, pour ce genre de choses. Il y a beaucoup à voir : la courbe des Soeurs où une voiture pleine de bonnes soeurs a été expédiée à toute vitesse tout droit dans la mort un jour enneigé de novembre et le bosquet des Revendeurs où une bande de revendeurs de drogue a été arrêtée. Il y a aussi le pas sage des Amoureux, où les couples de Santa Fe aiment bien se stationner.

Je regarde le paysage, bouche bée, comme une touriste, essoufflée, mais, en fait, j'ai l'esprit ailleurs. Je pense à *Notre ville* et à la tremblante Emily. Je pense aussi à Sam Rutledge qui doit jouer le rôle du mari d'Emily, George. Sam a des lunettes et il apporte *Guerre et Paix* aux répétitions. Je me demande de quoi Sam aurait l'air sans ses lunettes et s'il lit réellement Tolstoï ou s'il veut se donner un genre. Je me suis déjà demandée deux ou trois jours durant s'il avait envie d'avoir une amie pour de vrai. Nous parlons et nous rions beaucoup ensemble mais nous ne sortons pas *vraiment* ensemble. Pourtant, je *sais* que je lui plais.

Sam est tout à fait le type du garçon studieux, un peu bizarre. Je pense que je pourrais l'aimer. Il y a deux nuits à peine, j'ai écrit dans mon journal, vieux de cinq ans, tout tassé à cause du peu d'espace :

*Est-il possible de tomber amoureuse de quelqu'un que l'on connaît à peine? Je crois que je suis tombée amoureuse de S.R. Je n'ose pas le regarder, j'ai peur que ça se voit. Il est bien trop sérieux pour accepter l'idée qu'une fille perde son temps pour lui. Je ne supporterais pas qu'il s'en aperçoive!*

En redescendant la pente à bicyclette, je repasse ce qui me plaît en lui : sa petite tache brune de naissance près de son oreille droite, sa façon de dilater les narines quand il lit, la forme linéaire singulière de sa bouche.

Quand j'arrive à la maison, je suis tellement absorbée par mes pensées que je manque de rentrer dans une Buick blanche garée de travers dans notre entrée. Elle est plus grosse que l'Audi bourgogne de Martin. C'est le genre de voiture que ma mère et lui appellent des ''gouffres d'essence''. On n'en voit pas beaucoup à Santa Fe où l'essence coûte cher. Elle porte les plaques noires et blanches du Texas. C'est étrange! Nous connaissons quelques Texans, mais aucun ne possède une grosse voiture blanche comme celle-ci.

Je descends de bicyclette et je regarde l'arrière de la Buick. Il y a un collant sur le pare-chocs arborant le nom de quelqu'un dont je n'ai jamais entendu parler : un Texan qui pose sa candidature pour un poste politique. Des cartes dépliées jonchent le siège avant, comme si le conducteur s'était perdu, et il y a un coussin ajouré, du genre de ceux qu'on achète sous les climats chauds. Étrange! Je cadenasse ma bicyclette et j'entre dans la maison.

Tout est tranquille et calme. Deux cadeaux trônent sur la table de merisier vernis. Ils sont enveloppés dans du papier couleur prune avec des rubans dorés; l'un de la taille d'un livre, le cadeau de chaque année, et le deuxième plus petit. Je les soulève et je les secoue: ils sonnent creux. A côté d'eux, un gâteau au chocolat blanc; *Bon anniversaire Molly* y est écrit en lettres crème.

— Maman? Martin?

— Par ici.

— Où?

— Dans le salon, dit ma mère. Elle a une drôle de voix, mais c'est la saison du rhume des foins. Au mois de mars, ma mère avale des antihistaminiques comme si c'était du chocolat. Elle est allergique à tout.

J'entre en m'essuyant le front. Maman et Martin sont installés sur le sofa. Un homme est assis en face d'eux. Ce doit être monsieur Buick. Il a beau être assis, je peux calculer qu'il mesure plus de deux mètres. Il est bien en chair. Ses rares cheveux blonds sont rabattus sur sa calvitie rose. Il en prend conscience en me voyant et il la touche. Il a l'air nerveux et un peu mal à l'aise.

— On dirait que le monstre sucré est passé par ici, dis-je en faisant allusion aux empanaditas et au gâteau.

Martin ne sourit même pas. C'est curieux. Il aime cette farce, bien qu'elle ne soit pas amusante. Toutes les fois que je le taquine sur sa gourmandise légendaire, il sourit comme si c'était la première fois.

Cette fois, il tousse et me demande:

— Tu as fait une belle randonnée?

— Je suis allée jusqu'en haut.

— Je ne l'ai jamais fait, dit-il sans me regarder.

— Tu avais quarante ans, quand tu es arrivé ici. Il n'y a pas beaucoup de gens de quarante ans qui montent jusque là-haut.

— il y en a.

— Pas tant que ça.

Il sourit faiblement. Alors, ma mère s'étire pour me toucher le bras. Elle non plus elle n'a pas l'air d'aller très bien. Les cernes de ses yeux sont plus sombres et son regard est tragique.

— Molly, dit-elle d'une voix mesurée, du ton de quelqu'un qui n'a pas du tout envie de plaisanter, nous avons une visite plutôt… inattendue. C'est le moins qu'on puisse dire, n'est-ce pas, mon chéri?

Elle s'adresse à Martin qui approuve gravement de la tête.

— Eh oui, continue ma mère. D'un mouvement brusque, elle se tourne vers monsieur Buick. Molly, je te présente — elle hésite — je te présente William Garber. Ton père.

Il déplie ses longues jambes, se lève et exécute une courbette comique, comme on en voit dans les opérettes. Comme si j'étais une cliente et lui, un représentant de commerce. Il me tend la main et me demande probablement la seule chose qu'il peut me demander après tant d'années :

— Comment ça va?

# CHAPITRE TROIS

— Vous plaisantez, dis-je.

Il me fait signe que non de la tête. Et il sourit, mais d'un sourire nerveux qui ne se dessine pas complètement. Il commence à avoir l'air excessivement mal à l'aise. Je cherche dans son visage des traces du mien et, curieusement, j'en trouve. Nous avons le même nez large, le même menton légèrement décentré. Ses sourcils sont plus clairs que les miens. Ils disparaissent presque sur sa peau rosée. Et il est plus gros, beaucoup plus flasque que Martin, immense, vraiment, pesant bien plus que quatre-vingt-dix kilos. Quand je m'imaginais mon père, il n'était jamais aussi corpulent.

— Qu'est-ce que vous faites ici? dis-je.

Je regarde Martin qui paraît physiquement diminué, qui ressemble encore plus à un beagle et qui a l'air plus triste que jamais.

— Qu'est-ce qu'il fait ici?

— Demande-le-lui, fait Martin.

— Je te souhaite bonne chance, dit ma mère. Nous n'avons pas obtenu de réponse jusqu'à présent.

— Je vous l'ai dit, je voulais voir Molly, dit

l'homme blond.

— Après huit ans? demande ma mère.

— Oui.

— Après huit ans, sans avoir jamais donné aucun signe de vie? poursuit-elle.

— Oui, répète-t-il.

— Ça, je comprends, dit Martin de la voix posée de quelqu'un qui cherche à maintenir le calme. Ce que je ne comprends pas, c'est votre façon d'arriver sans crier gare. C'est un peu difficile à admettre — le jour de l'anniversaire de Molly. Nous aurions aimé être prévenus.

— Je suis désolé, dit mon père (je commence à me faire à cette idée, mais c'est bizarre). Il se rassied et regarde droit vers moi tout en parlant à Martin. J'imagine que c'est difficile pour vous de comprendre, mais j'avais peur que vous me demandiez de ne pas venir.

— Tu n'as pas tort, dit ma mère.

— Arrête, Ellen, dit Martin. William, William ou Bill?

— William, dit mon père. Je n'ai jamais eu de surnom.

— Eh bien, William — Martin se tord nerveusement les doigts, comme s'il pouvait en tirer des réponses — , je ne sais pas quel genre d'accueil vous vous attendiez à recevoir de la part d'Ellen. Ou de Molly. Mais, légalement, nous n'avons pas le droit de vous empêcher de voir Molly, vous le savez. Nous ne vous avons jamais interdit de la voir.

Mon père détourne les yeux.

— Nous aurions pu. Entre nous, j'ai bâti une belle famille avec vos restes, vous savez? Si vous aviez vu Molly pendant tout ce temps, si vous aviez aidé un peu financièrement, ce serait très différent. Mais vous disparaissez sans un mot. Alors?

— J'ai versé une pension pour l'enfant.

— Après qu'Ellen vous ait poursuivi en justice. Après qu'on vous ait menacé de prison, dit Martin avec colère.

— *J'ai dit* à Ellen que j'essayais de mettre sur pied une affaire. C'était une époque difficile. Si elle avait fait preuve d'un tant soit peu de compréhension, au lieu de me faire un procès, aujourd'hui, je serais un homme riche.

— Votre affaire ne tourne pas rond? demande Martin, pour la première fois un peu sèchement, me semble-t-il.

— Cette affaire a fait faillite, Ellen le sait très bien. Par la suite, une autre affaire a plutôt bien marché. Je l'ai vendue le mois dernier et, vous allez être déçu, mais ça m'a rapporté assez d'argent pour faire ce qui me plaît pendant un certain temps et, entre autres, pour renouer connaissance avec ma fille.

— Votre réussite ne me déçoit pas, dit Martin, magnanime.

— Pourquoi as-tu vendu? demande ma mère, curieuse.

Mon père tire une cigarette de sa poche.

— Est-ce que ça vous dérange si je fume?

— Pas du tout, dit Martin.

— Merci. Eh bien — il frotte une allumette et aspire profondément — j'ai vendu l'affaire parce que Joyce et moi nous avons divorcé et qu'elle voulait sa part. Ses yeux se font petits tandis qu'il scrute ma mère. J'attendais de ta part un ''Je te l'avais bien dit''.

Ma mère se rapproche un centimètre de Martin.

— Ça changerait quoi?

— C'est vrai, répond-il.

Pendant un moment, la pièce est silencieuse. C'est une pièce agréable, avec un tapis oriental et des chrysanthèmes couleur cuivre sur le manteau de la cheminée, où brillent des flammes cuivrées. J'essaie d'imaginer ce qu'un homme comme William Garber a pu penser en pénétrant chez nous pour la première fois. Comme s'il lisait dans mon esprit, il pointe sa cigarette en l'air et dit :

— Vous ne vous êtes pas mal débrouillés avec votre restaurant, tous les deux, hein?

— Pas mal, en effet, acquiesce Martin.

— Apparemment, vous ne vous êtes pas mal débrouillé vous aussi, dis-je.

Son costume avait dû lui coûter au moins trois cents dollars. Il intercepte mon regard, il tire doucement sur une manche et il hausse les épaules pour montrer le peu d'importance de la veste.

— Les vêtements ne sont que des vêtements,

plaisante-t-il. J'ai acheté ça en Angleterre.

*En Angleterre?*

— Ce costume fait surtout de l'effet. C'est la compagnie qui me payait le voyage, un voyage d'affaires.

Ma mère, qui s'est retenue aussi longtemps qu'elle l'a pu, pose sa main sur le bras de Martin et dit:

— Tu nous excuseras. C'est très joli de nous raconter ta vie, mais nous avons promis à Molly une fête en famille.

— Oh, là, là, fait mon père. Il se dresse et donne un petit coup de poing à Martin. Elle était tout le temps comme ça.

Martin rougit et repousse gentiment la main de mon père — Martin fait pratiquement tout gentiment. Il n'empêche que son geste est ferme.

— Ne croyez surtout pas que ça va nous rapprocher, monsieur Garber, dit-il. Ou que je vais devenir votre copain. Je ne suis pas votre copain.

Mon père lève les bras en faisant mine de battre en retraite.

— Je voulais simplement être amical.

— Nous l'inscrirons dans votre dossier, dit Martin. Mais maintenant, vous allez vraiment devoir nous excuser, si cela ne vous dérange pas.

William Garber se lève en hésitant et me regarde.

— Je suis heureuse d'avoir fait votre connaissance, dis-je.

Puis, sans raison aucune, je me mets à rire.

— Je suis désolée, dis-je en reprenant ma respiration. C'est tellement bizarre.

Il sympathise en souriant.

— Oui, pour moi aussi.

— Eh bien, au revoir.

— Au revoir, dit-il mais sans bouger pour autant.

Il se tourne vers ma mère.

— J'aimerais prendre rendez-vous pour voir Molly toute seule. C'est bien la marche à suivre? L'ex-mari doit prendre rendez-vous?

— Combien de temps vas-tu demeurer en ville? demande ma mère.

Elle s'étire pour se grandir le plus possible, mais elle est quand même petite.

— Je n'aime pas te savoir ici, continue-t-elle. Je n'aime pas ça du tout. Mais je ne vais pas te faire le plaisir de ne pas coopérer. Tu as certains droits, je ne sais plus lesquels, tu ne t'en es jamais servi...

— Ellen, dit Martin, s'il te plaît...

— C'est bon, mais je dis la vérité. Il n'a jamais revu Molly après la première année de divorce. J'ai complètement oublié quels sont ses droits de visite et à quoi il n'a pas droit. Je veux bien qu'il voit Molly pour qu'il quitte la ville ensuite. Ce qui me ramène à ma question : combien de temps vas-tu rester ici?

Mon père hésite avant de répondre. Il lève les sourcils et son regard n'est pas facile à déchiffrer. Comme pour gagner du temps, il cherche où écraser sa cigarette. Je lui tends un cendrier.

— Merci, dit-il.

Il me rend le cendrier, comme si cela faisait partie d'une cérémonie élaborée.

— Voici comment je vois les choses, dit-il finalement. Pendant huit ans, tu as eu les rênes libres en ce qui concerne Molly. Pas d'ex-mari ni d'ex-père mal intentionné dans le décor. Je suis certain que c'est comme ça qu'on me décrivait.

— On ne te décrivait pas du tout, dit ma mère catégoriquement.

Il lève à nouveau les sourcils.

— J'en doute.

— C'est vrai, dis-je, voulant la défendre.

Il semble embarrassé.

— Je suis bien obligé de le croire. Si Molly elle-même… Sa voix s'estompe, puis il reprend. Ce que je veux dire, c'est que je n'ai pas l'intention de quitter la ville. J'aime bien Santa Fe. J'ai un peu d'argent. J'ai envie de passer un peu de temps avec ma fille, de la connaître.

Ma mère pâlit.

— Tu as l'intention de t'installer ici? murmure-t-elle. Oh, William. Quelles sont tes intentions? Qu'est-ce que tu veux lui faire?

— La connaître, dit-il.

Puis, sur un ton ironique, il ajoute:

— Pour racheter mon passé, pour racheter mes péchés, comme tu dirais.

Ma tête devient légère, comme si elle était gonflée à l'hélium. Jusqu'à présent, j'avais regardé ce gros homme blond dans ses vêtements chers avec curiosité. Avec fascination, même. C'était intéressant d'être le sujet de son odyssée et de ses excuses. Cela avait un petit côté dramatique.

Mais l'expression sur le visage de ma mère est troublante. On dirait une souris désorientée. Ma mère a toujours l'air fatiguée, ce qui ne l'empêche pas d'être jolie. Je crois que je l'ai déjà dit. Mais cette fois, c'est comme si elle avait reçu un coup de bélier. Et Martin semble prêt à bondir, lui qui ne se met jamais en colère. Il se dispute parfois avec ma mère, mais à propos de la marque de la crème fouettée qu'il faut acheter pour le restaurant ou pour des sottises du même genre.

Seul mon père a une attitude normale. Il a même l'air enchanté.

— Je reste, Ellen. Je ne t'en demande pas la permission. Je t'en informe. Et je reviendrai sur le sujet du partage de Molly dès que j'aurai le téléphone.

Je le regarde se diriger vers la porte. Il se retourne tout à coup et me regarde.

— Bon anniversaire, Molly, dit-il. Je te le souhaite sincèrement.

Puis, il sort. Il monte dans sa grosse voiture américaine, recule rapidement, bruyamment et il s'éloigne.

# CHAPITRE QUATRE

Ma mère est trop bouleversée pour aller au restaurant ce soir. C'est la deuxième fois seulement que cela lui arrive : la première, c'est quand elle a eu son hépatite virale et qu'elle a dû rester à la maison parce qu'elle était un danger public.

Elle avait les yeux jaunes et elle avait gardé le lit, la mine pitoyable, sans pouvoir manger ni lire. Aujourd'hui, elle a l'air en bonne santé mais elle est effondrée. Elle me fait penser à un immeuble qu'on aurait dynamité mais qui aurait résisté, qui aurait à peine tremblé sur ses fondations.

Martin non plus n'y va pas. Il téléphone au gérant.

— Tu prends la direction des opérations, Henri. Nous avons un contretemps.

Puis, il se tourne vers nous.

— Mon Dieu! Je préfère ne pas penser à quoi aura l'air la cuisine demain.

— La cuisine sera très bien, dit ma mère d'une voix éteinte.

— Je sais, lui dit Martin. Je ne sais pas pourquoi j'ai dit ça. Peut-être pour faire diversion, tout simplement.

— Bon anniversaire, chante ma mère d'une voix basse, sarcastique. Bon anniversaire, chère Molly, bon anniversaire.

— Nous t'en souhaitons beaucoup d'autres.

— Tu parles d'un cadeau d'anniversaire, dit ma mère. Un père de quatre-vingt-dix kilos qui jaillit de ton gâteau.

— Arrête, Ellen, lui dit Martin d'un air gêné. Ce n'est pas drôle.

— Je sais. Puis, elle se met à pleurer.

Elle pleure un quart d'heure environ, en marmonnant des phrases inintelligibles. Martin et moi nous lui tapotons l'épaule de temps en temps. Cela n'arrange rien, au contraire, elle reprend de plus belle.

— Ta mère est un peu contrariée, explique Martin.

Il explique toujours ce qui est l'évidence même : "Le café est prêt; il pleut dehors." Il continue :

— Elle a eu un choc, je pense. Ton père qui arrive comme ça...

— Je le hais, dit ma mère.

C'est la première fois de ma vie que je l'entends dire ça à propos de quelqu'un.

— Tu ne penses pas ce que tu dis.

— *Si*, je le pense. Je le hais! Elle se tourne vers moi. Toi, tu ne le hais pas, n'est-ce pas? Je le vois à ton regard.

— Je ne le connais même pas, dis-je. Peut-être que si je le connaissais un peu, je le haïrais.

— Sûrement, dit ma mère en reniflant. Puis, elle se reprend: Non, tu ne le haïrais probablement pas. C'est quelqu'un de très bien. Il t'ignore pendant des années — les années les plus dures — et il refait son apparition maintenant que tu as atteint l'âge de la révolte, comme par hasard. Il s'imagine peut-être qu'il peut faire miroiter à tes yeux des clefs de voiture et te monter contre nous.

— Il a parlé de clefs de voiture? Je me rappelle des histoires que j'ai lues sur des enfants de parents divorcés dont chacun essayait de l'emporter sur l'autre en donnant à l'enfant des choses extravagantes. Cela me semble très prometteur et fascinant.

— Il n'a pas du tout parlé de voiture, proteste Martin. Ellen, tu te rends compte de ce que tu insinues? Il n'a pas dit *un seul mot* à propos de voiture.

— Attends un peu, dit-elle en reniflant. Et puis, cette façon qu'il a d'arriver sans prévenir!

— Je le crois quand il dit pourquoi il a agi ainsi, dit Martin, qu'il craignait que tu lui dises de ne pas venir.

— Il n'avait pas le droit de venir!

— Mais si, dit Martin. C'est bien ce qui me fait le plus mal. Il en a le droit. Il peut venir et jouer les pères après tout ce temps, après tout ce que j'ai fait pour sa femme et sa fille qui est pour moi comme *ma* fille. Tu crois que ça me fait plaisir?

Maman tousse et dit non de la tête.

— Eh bien, non, dit-il. Allez, fêtons l'anniversaire de Molly. Assez parlé de lui. Heureusement que Molly n'a pas invité toute une bande d'amis à la maison.

J'ouvre mes cadeaux : un tricot rouge de marque et un coffret de livres de Marcel Proust.

— Tu es peut-être un peu trop jeune pour lire Proust, dit ma mère. J'étais beaucoup plus âgée que toi quand j'ai lu *Du côté de chez Swann*.

— Elle n'est pas trop jeune, proteste Martin. Elle lit un peu de tout depuis qu'elle est haute comme trois pommes.

— Merci, dis-je.

— Ce sont de beaux livres, n'est-ce pas? dit ma mère.

Je les sors du coffret et laisse courir mes doigts dessus.

— Du cuir?

— C'est ce que le vendeur nous a dit.

— On ne voit plus beaucoup de livres recouverts de cuir.

— C'est pour ça que nous les avons achetés, dit Martin le visage rayonnant. Tu peux les montrer à ton ami — comment s'appelle-t-il?

— Sam?

— C'est son nom?

Je me sens rougir.

— Quand vous ai-je dit que Sam aimait lire?

— C'est ce qu'on a déduit quand tu nous as raconté qu'il pouvait faire du théâtre et qu'il avait la vue basse, dit Martin, taquin.

— Je ne me rappelle pas vous avoir dit ça.

— Pourquoi ne l'invites-tu pas à la maison. Je suis sûre qu'il serait content, dit ma mère.

C'est toujours ce qu'elle suggère quand je prononce un nouveau nom de garçon plus de deux fois.

— Il ne sait même pas que j'existe, enfin pas comme *vous* l'entendez, dis-je à voix basse.

— Fais-moi plaisir, veux-tu? dit ma mère, et ouvre la bouche pour parler.

— *Il ne sait même pas que j'existe.*

— Je parie que si, dit-elle. Il ne sait peut-être pas grand-chose de plus, mais il sait que tu existes.

— Il a déjà dû t'apercevoir, renchérit Martin, même si tu t'es soigneusement cachée.

Dans mon lit, la nuit venue, je ferme les yeux et je pense à Sam. Je le vois renverser la tête en arrière et rire, en découvrant ses magnifiques dents blanches. Puis, il me regarde, sérieux, droit dans les yeux.

Je me demande s'il est possible, comme le pensent certains, d'envoyer des messages par télépathie à d'autres personnes. *Je t'aime.* Je le pense le plus fort que je peux. J'essaie d'imaginer ma pensée glisser dans la nuit, pénétrer dans la maison de Sam, dans la chambre de Sam, dans le cerveau de Sam. *Molly t'aime.* Je recommence.

Puis, je me trouve stupide et je roule sur le côté. Il s'est passé des choses excitantes et contrariantes : mon père qui surgit comme par enchantement, j'ai fêté mon anniversaire, et tout ce qui me vient

30

à l'idée, c'est d'essayer de faire de la transmission de pensée avec Sam Rutledge!

# CHAPITRE CINQ

Les jours suivants, je ne me soucie pas de mon père, ce gros étranger blond. Il ne téléphone pas et nous ne savons pas où le joindre. Je finis par me demander s'il existe, s'il est vraiment venu chez nous.

Petit à petit, le visage de ma mère est moins préoccupé. Elle continue à parler de William Garber, mais elle n'a plus cette expression sévère ni la voix de Boris Karloff dans un film d'épouvante qu'elle avait le soir de mon anniversaire. Elle commence à dire qu'il n'avait peut-être pas eu de mauvaise intention. Peut-être qu'il se sentait vraiment coupable, qu'il éprouvait des remords et qu'il était juste venu faire un saut — ce qui n'était pas la chose à faire mais, après tout, il n'était pas particulièrement réputé pour son tact, n'est-ce pas?

Et je pense : *Oh, c'est donc ça.* Juste une impulsion. Maintenant, c'est fini. Cela ne me surprend pas, mais je reconnais que je me sens un peu dupée, un peu laissée pour compte.

Néanmoins, il faut penser à l'école. Le collège Santa Fe est énorme. Il a été conçu pour ressembler à un collège communautaire, avec des bâtiments éparpillés un peu partout. En fait, il a tout d'un pénitencier, sauf les fils barbelés. Il est vraiment moche, et c'est curieux car on y a une vue magnifique sur les montagnes. Le seul endroit où l'on peut se réunir est particulièrement minable. On l'appelle le Mur, parce que c'est exactement cela et rien d'autre : un vulgaire mur en ciment.

C'est là que je tombe sur Sam Rutledge, étalé contre le ciment, en train de se faire bronzer. Il est splendide. Il a des lunettes de soleil, le col de sa chemise est ouvert, un peu plus qu'il ne le faudrait peut-être. Avec Sam, il est difficile de dire s'il essaie d'être sexy ou s'il a tout simplement oublié de se boutonner. Je me rappelle le Tolstoï qu'il trimbale toujours sur lui et je penche pour la deuxième hypothèse.

— Hello, dis-je.

Il me lorgne à travers ses lunettes de soleil comme s'il observait une amibe au microscope.

— Tu n'étais pas vraiment avec moi aujourd'hui, dit-il.

— Comment ça, je n'étais pas avec toi?

— Pendant la répétition. Il tripote son col de chemise qu'il laisse ouvert, ce qui peut signifier n'importe quoi. Ou ne rien signifier du tout. Tu parlais, tu te déplaçais, mais sans vie.

— Merci. Merci beaucoup.

— Oooooooh, Madame n'est pas contente, dit un garçon sur notre gauche.

— Ça te dérange, Espinoza? dit Sam.

— Moi? Ça ne me dérange pas, mon vieux, dit Espinoza, en reculant honteusement. C'est ta femme.

33

Ton problème.

— Ce n'est pas ma femme, dit Sam.

Espinoza trouve cela très drôle. Il renverse la tête en arrière et caquette comme une poule, laissant voir ses dents en argent au fond de sa bouche. Puis, il frappe du poing les côtes d'un garçon près de lui.

— Hé! Arrête, dit ce dernier.

— C'est Espinoza, dit Sam, inutilement. Il me rappelle Martin : ''Il pleut; le café est prêt.''

— Je sais.

— Ne fais pas attention à lui, dit Sam. Il aime bien insulter les femmes.

— Je ne me suis pas sentie insultée, dis-je.

— Ah? Sam a l'air embarrassé. Tu aurais dû.

— Qu'est-ce qu'il m'a dit d'insultant?

— Tu le sais très bien. Il a dit que tu étais ma femme. Son visage devient rouge comme une tomate.

— Ce n'est pas du tout une insulte, dis-je lentement, m'étonnant moi-même de mon aplomb soudain. Je me vois comme une vamp de cinéma, avec les yeux et les lèvres peintes de Marilyn Monroe — et Sam est une sorte d'Humphrey Bogart.

— Non? dit Sam, enchanté.

— Pas du tout. C'est toi qui m'as insultée en critiquant mon jeu théâtral.

— Ce n'était pas une insulte, proteste-t-il, c'était pour t'aider.

— Eh bien, ça ne m'aide pas.

— C'était pourtant mon intention.

— C'était trop général.

— On pourrait en parler plus longuement.

— C'est une bonne idée, mais ce n'est pas possible. Voici le bus. Je dois aller à la bibliothèque pour étudier. Et j'ai envie d'aller prendre un café au Gourmet.

— Je peux t'accompagner? demande-t-il plein d'espoir.

Je fais celle qui pèse le pour et le contre.

— Il vaudrait peut-être mieux pas, fait-il en hésitant.

— Non. J'espère que ce mot n'est pas sorti trop vite de ma bouche. Tu peux. Après tout, on doit jouer cette pièce ensemble. Autant bien la jouer.

— Oui, dit Sam. Il a l'air soulagé.

Je lui emboîte le pas et nous nous dirigeons ensemble vers le bus. Je suis heureuse.

— Hé, regardez-moi ça, lance Espinoza. Où est-ce que tu vas, Rutledge? Tu rentres à la maison avec mademoiselle Jean Étriqué ou quoi?

— Maintenant, oui, je me sens insultée.

Sam continue de marcher, les lèvres serrées pour ne pas rire. ''Mademoiselle Jean Étriqué'', dit-il. ''Mademoiselle Jean Étriqué''. Il ne manque pas de toupet!


Le Gourmet est un petit restaurant discret qui sert de lieu de rendez-vous. On y vend des biscuits d'importation, des sucreries, des épices et de l'huile d'olive — de quoi couler un cuirassé. J'ai une tasse de moka dans le creux des mains. Sam arrive à la table avec une tasse de cidre chaud.

— Il y a de la cannelle dedans, dit-il en s'asseyant.

Il prend une petite gorgée et fait la grimace.

— Il y en a trop?

— Je ne sais pas. Il prend une autre gorgée. Je crois que non. Il aura meilleur goût une fois refroidi, je pense. Tu n'as jamais expérimenté ça? Que ce qui est mauvais chaud est bon froid?

— Non, dis-je. Jamais.

Sam se penche sur son cidre comme si quelqu'un allait le lui prendre, mais je présume que c'est la position qu'il adopte quand il se concentre, et je ne me trompe pas.

— Parlons théâtre, dit-il. D'après moi, ton problème, c'est que tu ne *connais* pas vraiment Emily. Comment veux-tu jouer son rôle si tu ne la connais pas?

— Je la connais.

— Mais est-ce que tu sais ce qui la motive?

— À ton avis, qu'est-ce qui la motive?

— Tu devrais lire des livres sur les méthodes d'interprétation théâtrale, dit Sam. Ce qu'on enseigne à New York, au studio Strasberg. On t'y apprend à te mettre à fond dans la peau des personnages et à comprendre leur comportement.

— Comment se fait-il que tu en saches autant sur l'interprétation théâtrale? Je pensais que tu étais passionné de littérature, pas d'interprétation théâtrale.

— Je m'intéresse toujours à ce que je fais, dit-il en

souriant.

Ce qu'il y a de moins romantique en moi, c'est que je remarque les dents des gens, leur état général. Un peu plus tôt, par exemple, j'ai remarqué qu'Espinoza avait *beaucoup* de dents en argent. Les dents de Sam sont parfaites. Intactes. Légèrement teintées de gris et non de jaune. C'est le genre de dents que je peux aimer à la longue.

Je suis sur le point de faire un commentaire sur ses molaires supérieures quand la silhouette familière d'un homme sur le trottoir d'en face attire mon attention.

— C'est *lui*, je crois, murmuré-je.

— Qui ça, lui? demande Sam. Il lorgne en direction du trottoir d'en face.

— Non, je ne crois pas. Mon père a les joues moins roses.

— Il ne ressemble pas du tout à ton père, dit Sam en regardant l'étranger tourner le coin de la rue et disparaître. J'ai vu ton père venir te chercher à l'école. Il est plus petit, non?

— C'est mon beau-père que tu as vu, Martin Lasker, monsieur Chile House.

— C'est le propriétaire du Chile House? Sans blague?

— Ma mère et lui.

— J'y ai mangé une fois, dit Sam. Des enchiladas au maïs bleu. C'était très bon.

— La prochaine fois que tu iras, essaie le burrito. C'est une galette de blé farcie de viande, de fromage et de bien d'autres choses encore. (Je ne manque jamais de faire de la réclame pour le Chile House.)

— C'est meilleur? demande Sam sérieusement.

— Je crois que oui.

Sam prend une gorgée de cidre et scrute le trottoir désert.

— Ainsi, tu as un beau-père. Moi pas. Ma mère a gardé l'original. Mais il y a beaucoup de gens qui divorcent.

— Les beaux-pères sont épidémiques, dis-je sur un ton doctoral.

— Comme la grippe?

— Oui. C'est une sorte de grippe.

Je ris moi aussi, en me demandant ce que Martin dirait d'être comparé à un virus.

— Cet autre père dont tu parlais, est-ce qu'il habite ici?

— Je ne crois pas.

— Tu ne *crois* pas?

— C'est une longue histoire.

Il s'appuie contre le dossier de sa chaise et sourit, d'un sourire qui me réchauffe toute et me fait penser aux paroles d'Espinoza : "C'est ta femme. Ton problème."

— Pour toi, Molly, dit-il avec la voix d'une star des années quarante, pour toi *ma bien-aimée*, j'ai tout le temps du monde.

Et je lui raconte toute l'histoire.

# CHAPITRE SIX

Pendant des jours, je ne pense pas à mon père. Je suis tout entière occupée par une seule phrase que je répète avec des intonations différentes, pour voir si cela en modifie le sens. *Ma bien-aimée, pour toi, j'ai tout le temps du monde.* Je suis dans ma chambre, debout devant le miroir. J'adopte tantôt une voix de soprano, tantôt une voix d'alto et tantôt une voix de tenor, en rétrécissant les yeux pour imiter ceux de Sam Rutledge.

Puis, je me laisse guider par mon inspiration personnelle : *Molly, je t'ai regardée depuis les coulisses, mais je n'ai pas osé te parler. Tu étais — je sais que ce que je vais dire est banal — tu étais si belle, si distinguée. Je t'aime, mais je sais que c'est sans espoir.*

— Qu'est-ce qui est sans espoir? demande Martin, en hésitant de l'autre côté de la porte.

Il porte une chemise rayée rouge et blanche, un pantalon noir et un tablier de chef rouge, sa tenue habituelle pour le Chile House. Il fait le tour de ma chambre d'un regard interrogateur et frémit en voyant le désordre qui y règne.

— Qu'est-ce qui est sans espoir? me demande-t-il à nouveau.

— J'aimerais bien que tu n'écoutes pas à ma porte.

— Qu'est-ce que tu racontes? Ta voix portait comme une corne de brume. Je parie que ta mère, qui est dehors, t'a entendue, se défend-il.

— Peu importe. L'intimité, c'est important.

— Je t'en prie, grogne Martin. Ce n'est déjà pas facile d'être un père substitut, si, en plus, je dois subir les crises de l'adolescence… Tu t'en tires très bien d'ailleurs. La prochaine fois, je suis certain que tu vas me citer Freud.

— Freud était un grand homme.

— Tu aimes Freud? Bon. Est-ce que tu as déjà *lu* Freud?

J'examine mon annulaire. Il est taché d'encre près de l'ongle, à cause de mon stylo qui fuyait.

— Ah, je n'aurais pas cru, dit-il.

— J'ai beaucoup lu Proust, c'est pour ça.

— Quelle intellectuelle tu fais! Je te suis reconnaissant, vraiment, de daigner me consacrer encore un peu de ton temps.

Il a l'air soudain embarrassé.

— Ce n'est pas ce que je voulais dire, dit-il. Tout ce que je voulais savoir, c'est… ce n'est pas grave n'est-ce pas? Ce quelque chose, peu importe ce que c'est, qui est sans espoir, ce n'est pas vraiment sérieux, hein?

— J'étais simplement en train d'apprendre mon rôle pour la pièce.

— Oh? Tant mieux.

— Pourquoi?

Il me regarde d'un drôle d'air.

— Pourquoi tant mieux? dis-je.

Je vois à son regard qu'il fait un effort pour trouver les mots justes. Dans ces moments-là, je l'aime beaucoup. Oui, je l'aime, et je m'en veux de le mettre dans des situations semblables.

— Tant mieux, parce que cela veut dire que tout va bien pour toi, voilà tout. Ta mère est terriblement tendue ces jours-ci. Je ne voudrais pas que tu le sois, toi aussi.

— Elle est toujours contrariée à cause de la visite de mon père, c'est ça?

Martin pâlit.

— Ça ne va pas?

— Si, si, ça va, — et il a meilleure mine tout d'un coup.

— Tu ne t'es pas senti mal à l'instant?

Il a un sourire forcé.

— Non.

— Alors, c'était quoi?

Je veux qu'il me le dise.

— Ce n'était rien, rien du tout.

— Tu en es sûr?

— Mais oui.

Il me prend le bras, le presse brièvement, puis le relâche.

— Ça m'a donné un choc de t'entendre dire si naturellement ''mon père''. C'est tout. Tu ne l'as jamais appelé comme ça avant.

— Lui?

— William Garber, dit-il d'un ton plus léger.

Bien des années plus tard, j'ai compris que cela avait demandé un effort immense à Martin pour prononcer le nom de mon père avec autant d'aisance que s'il s'était agi du nom d'un ami.

— Je n'ai pas l'habitude de t'entendre l'appeler comme ça, tu comprends? Mais c'est comme ça que tu dois l'appeler, naturellement. C'est ce qu'il est, n'est-ce pas?

— Tu es le père de facto, dis-je.

— Le père de facto, dit-il en riant. Parfait. Le père de facto, ça me plaît.

— Tu es mon vrai père. Celui qui m'a vraiment élevée.

— Bon, dit-il avec un petit sourire. Tu sais, Molly, je croyais que j'étais un plus chic type que cela.

— Qu'est-ce que tu veux dire? Tu es un chic type. Un très chic type. Tu as roulé pendant onze heures pour nous emmener voir les Texas Rangers, trois amis et moi.

— Mais tu m'as dit plus tard que tu avais horreur du base-ball.

— Je n'ai pas horreur du base-ball, mais ce n'est pas ce que je préfère.

Il sourit tristement et tourne les talons.

Je veux le retenir.

— Pourquoi as-tu dit que tu n'étais pas un chic

type?

Son visage devient mélancolique.

— Ahhh, pour rien.

— Dis-moi, dis-je en lui touchant le bras.

Il se tait pendant une minute, retournant quelque chose dans sa tête. Finalement, il se décide.

— Comme je te l'ai dit, ça m'a donné un coup de t'entendre appeler Garber "mon père". Je sais que je ne suis pas vraiment ton père, pas au sens biologique du terme. Mais, tout de même.

— Martin.

Il est à mi-chemin de l'entrée.

— Je suis fatigué d'être raisonnable et sympathique. À quoi cela m'avance-t-il? Ce… ce *bonhomme* vient chez moi et il veut me prendre ma fille. Parce que c'est ce que tu es pour moi, Molly, *ma fille*. Et je devrais dire : "Mais bien sûr, allez-y, servez-vous. Comme c'est gentil à vous de venir après tout ce temps." Eh bien, je n'en ai pas envie.

— Martin!

— Je le hais. Je pourrais le tuer à mains nues. Mais je ne le ferai pas, je suis si gentil.

— S'il te plaît… Je veux le réconforter, mais je ne trouve pas les mots qu'il faut.

— Ça me dégoûte. Regarde un peu ce qu'il a fait à ma famille : elle est toute sans dessus dessous.

— Martin, Sam dit que je dois garder mon sang-froid. Tu devrais en faire autant.

— Un brave garçon, ce Sam, dit Martin en franchissant la porte d'entrée.

Trois jours passent et William Garber ne téléphone pas. Curieusement, ça m'est égal. Tout ce qui concerne Garber, cet homme qui décide soudain de jouer les papas, est relégué derrière la pensée de Sam qui m'obsède.

Bien plus tard, j'ai découvert que l'amour adolescent, ou le premier amour — c'est une maladie qui a beaucoup de noms — est aussi profond et douloureux que l'autre, le ''vrai''.

Tout le printemps, je me complais dans une langueur étrange. Je maigris, mon visage devient plus anguleux et j'ai l'air plus délicate. Tout me fait penser à Sam, mon rôle dans *Notre ville*, les fleurs sur le piano, les acteurs à la télévision, que je regarde de moins en moins. Je trouve toujours une raison pour prononcer son nom : ''Sam a fait ceci, Sam pense cela'', jusqu'à ce que ma mère, habituellement patiente, me dise, agacée :

— Ce que pense Sam Rutledge ne m'intéresse pas. Ce qui m'intéresse, c'est ce que pense ma fille. Que t'arrive-t-il? Est-ce que Sam t'a enlevé toutes tes facultés de penser par toi-même?

— Si tu avais déjà été vraiment amoureuse, tu comprendrais.

— Mademoiselle croit qu'elle est arrivée sur terre par l'opération du Saint-Esprit?

C'est le premier indice qui m'apprend qu'elle a vraiment aimé mon père un jour. Cela devrait me rassurer : l'enfant désiré. Au lieu de cela, je me sens mal à l'aise. Je regarde sa petite taille. J'imagine le couple Ellen-William, William éclipsant Ellen. Ellen et William, mari et femme?

— Et tu sais combien j'aime Martin, dit maman. Cela ne te ressemble pas d'être cruelle avec lui, après tout ce qu'il a fait pour toi.

— J'aime bien Martin moi aussi.

— Tu es tant pour lui. Tu es la fille qu'il n'a jamais eue.

Je voulais mettre un terme à la conversation.

— Je sais, dis-je.

— Bien, dit-elle, apaisée, un peu surprise de mon manque de combativité.

Je lui souris, d'un sourire complice.

— *Bien*, répète-t-elle, étonnée.


Mais je continue à me poser des questions sur mon père. Je veux le voir, le questionner sur les années qu'il a vécues loin de moi. Il commence à devenir une sorte de talisman porte-malheur. Son divorce d'avec ma mère n'est pas très clair à mes yeux. A-t-il connu une ou plusieurs femmes par la suite? Et il y a cet inquiétant divorce d'avec l'invisible Joyce.

Quand il n'y avait que maman et Martin et que j'étais malheureuse, il me venait parfois à l'idée de partir loin, mais, en fait, je me sentais plutôt stable et en sécurité. Il y a entre maman et Martin quelque chose qui me fait penser que leur mariage va durer, même s'il y a des problèmes. Martin passe parfois trop de temps à suivre les parties de base-ball. Maman est tendue et énervée quand vient le moment de remplir les déclarations d'impôt, et de temps en temps sans raison. Mais il est évident qu'ils s'apprécient. En les regardant, j'étais certaine que je ferais moi aussi un bon mariage un jour.

Avec William Garber, c'est différent. C'est comme si tout dans le monde n'entretenait que des rapports superficiels, temporaires. En raison de mes sentiments nouveaux et violents pour Sam, je ne veux pas penser à des couples qui se séparent. Absolument pas.

# CHAPITRE SEPT

C'est le printemps. Ma mère renifle et tousse. Tantôt elle est à moitié endormie à cause des antihistaminiques, tantôt elle essaie de ne pas en prendre et elle travaille au restaurant avec le nez qui coule et les yeux rouges.

Je commence à renifler sérieusement moi aussi. Mais le rhume des foins ne me dérange guère. Grâce à Sam, je trouve qu'il ne s'agit que de légères irritations. Tous les jours, nous répétons jusqu'à quatre heures . Ensuite, nous prenons le bus jusqu'au chemin Old Santa Fe et de là nous allons à pied jusque chez Pasqual, Gepetto ou le Gourmet. Espinoza nous siffle depuis le Mur. Sam est embarrassé mais moi je suis secrètement ravie. Espinoza, depuis la première fois, continue à m'appeler mademoiselle Jean Étriqué, même quand je porte des chemises flottantes ou des vêtements sport amples.

Je bois du café depuis peu. Quand je veux, je peux faire durer une tasse très longtemps. J'aime en savourer le goût d'abord amer, puis vient le coup de fouet de la caféine chaude qui me donne l'endurance nécessaire pour rester éveillée le soir, marcher et lire. Comme je veux à tout prix avoir l'air plus mûre, je commande mon café sans crème ni sucre.

Je bois mon café à petites gorgées en fixant les yeux Humphrey Bogart de Sam, et je me sens très séduisante.

Les jours ont quelque chose de magique parce que je suis Emily Gibbs et que Sam est là. Je crois vraiment que je suis amoureuse. Sam pense qu'il l'est aussi. Sûrement. Nous tournons autour du sujet sans jamais avoir le courage d'en parler directement. Sam me demande si je trouve que son personnage, George, est vraiment amoureux d'Emily, étant donné leur jeune âge. (Ils ont moins de vingt ans.)

Je réponds :

— Oui, bien sûr. Et même s'ils étaient plus jeunes.

— Quel âge?

Je voudrais bien dire *seize ans. Emily pourrait savoir ce qu'est le véritable amour à seize ans. Je le sais, moi. Je sais ce qu'on ressent. Je le ressens pour toi.*

Au lieu de cela, je dis :

— Madame Gianelli est une bonne professeure, tu ne trouves pas?

Et sam répond :

— Oui, vraiment. Je la trouve sensationnelle.

— Je crois que jamais je n'ai eu un aussi bon professeur, dis-je bêtement. Monsieur Robertson, peut-être, en secondaire III, en Histoire. Il était bien. Il nous emmenait en excursion sur le terrain. Mais madame Gianelli est de loin la meilleure.

Je dis cela en pensant non pas à madame Gianelli qui a un grain de beauté sous l'oeil droit et une voix de stentor — il faut l'avoir entendue pour le croire — mais à l'amour véritable à seize ans et au merveilleux Sam.

Nous nous regardons les yeux dans les yeux, la main dans la main et nous nous aimons sans nous le dire, et mon père s'évanouit de mes pensées.

Nous commençons à travailler aux décors : une immense peinture murale représentant une petite ville qui n'a rien en commun avec Santa Fe. Nous nous inspirons d'une photo du magazine *Yankee* : des maisons à charpente de bois, une chapelle protestante, une pharmacie dans le style d'autrefois. Nous sommes une demi-douzaine à scier, à faire des croquis et à peindre. La ville prend forme : Grover's Corners, New Hampshire.

Personne parmi nous n'est jamais allé au New Hampshire et n'a jamais vu la Nouvelle-Angleterre. Nous nous laissons guider par notre imagination.

Mais la peinture murale est belle. On dirait une vraie ville, un peu aplatie et à peine ébauchée, mais une ville quand même. Avec quelques réflecteurs bleus et quelques lumières blanches, l'impression d'aplatissement disparaît et on a le sentiment d'être vraiment quelque part et non plus devant un décor en carton.

Madame Gianelli dit que ce décor mobile représente du travail; elle ne veut pas qu'on l'abîme. Alors, la troupe reste en retrait, admirant le résultat, un peu triste que le décor soit terminé. Nous avons passé de bons moments.

C'est la première répétition générale. Je porte des nattes. Je disparais sous le maquillage : des lèvres rouge rubis, du mascara noir comme poix, les sourcils épaissis au crayon. J'ai l'air d'une danseuse de cabaret avec des nattes.

— L'éclairage va atténuer ça.

C'est madame Gianelli, qui est en train de me regarder.

— L'équipe de maquillage manque d'expérience, dit-elle en haussant les épaules. Qu'y puis-je?

Je la fixe à travers des cils couverts de noir coagulé.

— Peut-être qu'un petit coup de papier-mouchoir ne ferait pas de mal, dit-elle.

Sam aussi est maquillé. Il ressemble au comte Dracula avec son visage blanc et ses lèvres rouges. Mais il n'a pas l'air d'en avoir conscience. Il griffonne au crayon sur son texte, il marmonne entre ses dents, il se baisse pour marquer à la craie nos positions de départ sur le plancher.

Je me penche pour toucher son visage.

— Salut, toi, dit-il.

— Sam, tu devrais racler un peu ça.

— Quoi, ''ça'', marmotte-t-il en faisant des traces à la craie et en mesurant des pas.

— Ton visage. On dirait que tu as eu un accident. On dirait… on dirait que tu es mort.

— C'est Marty Bresford qui m'a fait ça.

— Le maquillage?

— Oui. Elle n'arrêtait pas de dire que j'allais être sensationnel.

— Je crois qu'elle plaisantait, Sam.

Il sourit, pose sa craie et dit :

— Tu devrais faire un peu de ravalement.

— Est-ce que mon mascara coule? Je lève une main à mon visage.

— On dirait les chutes du Niagara.

Je reçois un baiser huileux.

— Hé, Rutledge!

C'est Espinoza qui est dans les coulisses. Arrête un peu ça avec mademoiselle Jean Étriqué, d'accord? Cette *conduite scandaleuse* . Tu vas finir par me *corrompre*. Ouououh!!

(Bien des années plus tard, j'allais détester ce genre de choses : les sifflements, les insinuations, les idées que se font les gens de posséder quelqu'un ou d'appartenir à quelqu'un.) Mais, cet après-midi, je suis excitée. J'aime ça. J'adresse un sourire rayonnant à Espinoza et à Sam. En traversant la scène pour gagner ma place, je me sens féminine et toute-puissante : mademoiselle Jean Étriqué Lasker, capable d'arrêter une répétition par un seul baiser.

Le reste de la séance n'est guère brillant. J'oublie mon texte, Sam aussi. L'éclairage est mauvais. Pour la majeure partie de l'acte II, je dois me servir de mes notes et madame Gianelli, dans les coulisses, est mécontente.

Nous recommençons tout deux fois, mais c'est pire encore. La transpiration dégouline par-dessus le maquillage et nous avons des auréoles sous les bras.

Après le troisième essai, même madame Gianelli est prête à tout abandonner pour un moment.

— Coupez! beugle-t-elle comme un directeur de la vieille garde. Vous n'avez pas faim?

Tout le monde dans la troupe a faim, tout le temps.

— On se retrouve au restaurant Upper Crust? demande-t-elle.

— Commandons à l'avance par téléphone, dit Sam.

— Si tu commandes une pizza, commande-la à la farine blanche. Pas à la farine complète, dit Espinoza. S'il y a quelque chose qui me rend malade, ce sont les aliments naturels. Et que ce soit une double pizza, dit Espinoza. Je suis en pleine croissance.

— Alors, téléphone, dit Sam.

— Si je téléphone, c'est toi qui paieras?

— Si tu téléphones, c'est *moi* qui paierai, dit madame Gianelli. Mais dépêche-toi.

Je souris en entendant la voix de madame Gianelli, sa façon d'avaler les voyelles quand elle est énervée.

— Sam et Molly, reprenez encore une fois la scène de la pharmacie en attendant, dit-elle.

Nous soupirons.

— Rien qu'une fois. Servez-vous de vos notes si vous en avez besoin. Je veux juste calculer votre temps.

Donc, nous reprenons et, allez savoir pourquoi, tout se passe bien. L'air sur scène semble changer, devenir plus électrique. J'ai roulé mon script et je l'ai rangé dans la poche de mon blouson. Je récite de mémoire. Je ne parle pas à George Gibbs mais à Sam. Je ferme les yeux, je prends une inspiration profonde et je parle naturellement fort, d'aller à l'université, ou de rester à la ferme, de se marier peut-être. À ce moment, j'oublie tout le reste de la troupe, Espinoza et sa pizza. J'oublie tout, sauf Sam, qui est encore lui-même après tout, derrière son horrible maquillage.

On dirait que Sam en fait autant. À un moment donné, il arrive à sa voix une chose curieuse; il se force moins. C'est à moi qu'il parle mais ses paroles emplissent toute la salle avec une puissance et une autorité que je lui ai rarement vues. L'instant est fascinant. Je sais que nous sommes très très bons tous les deux.

À la fin, les applaudissements éclatent autour de nous. Une personne continue à applaudir en solo, fort, avec insistance.

*Clap, clap, clap.*

Je cherche des yeux madame Gianelli, ou Espinoza qui exagère toujours. Ils sont dans les coulisses. Leurs mains sont au repos.

*Clap.*

Je regarde dans la salle obscure et je remarque un homme en costume et cravate, debout et qui applaudit tout seul.

— Molly? dit-il. Descends un moment, veux-tu?

J'écarquille les yeux pour m'assurer que c'est bien la personne que je crois, qu'il ne s'agit pas d'une erreur. Puis, je tends mes notes à un Sam interrogateur et je vais à la rencontre de William Garber, qui a cessé de faire du bruit et qui attend patiemment que je le rejoigne.

# CHAPITRE HUIT

— J'aimerais t'inviter à dîner, dit-il.

Il a perdu un peu de poids depuis la dernière fois que je l'ai vu. Et sa peau est bronzée. Son apparence générale fait penser qu'il a séjourné dans un lieu de vacances cher.

— Il faut que je téléphone à ma mère. À mon avis, pour elle, vous n'êtes plus en ville.

— Elle sait que je suis ici.

— Elle ne le sait pas.

Je suis énervée et cela se voit.

— Maintenant, elle le sait. Il hésite puis continue. Je l'ai appelée, tu sais, et je lui ai dit que j'étais ici.

— Quand?

— Aujourd'hui. Ce matin.

— Je devais déjà être à l'école. Je ne savais pas quoi dire à ce père étranger.

— Je pense que oui.

— Je dois demander la permission pour sortir.

— Ce n'est pas nécessaire. J'ai déjà tout arrangé.

— Vous avez tout arrangé?

— J'ai obtenu la permission de ta mère. Tu dois

être rentrée à dix heures. Parce que demain, c'est jour d'école, a-t-elle dit.

Cela lui ressemblait. Je commençais à me décontracter.

— Il faut que je prévienne Sam et madame Gianelli. La troupe va aller manger une pizza.

— Ça, tu pouvais le faire sans demander la permission, mais pour sortir avec moi, il faut que tu la demandes? dit-il avec un brin d'ironie.

— C'est différent.

Je ne veux pas dire à mon propre père que je le connais à peine et que je me sens mal à l'aise.

— Non, c'est pareil. Tu as peur de ta mère.

— Peur d'elle? Je suis contrariée et j'élève la voix.

À cet instant précis arrive madame Gianelli, suivie de près par Sam.

— Qui est-ce, Molly? demande-t-elle, en arborant un sourire d'hôtesse de l'air.

— Mon père, dis-je simplement.

— Monsieur Lasker? Comment allez-vous, dit-elle, en offrant une main dodue couverte de bagues.

— Garber, dit-il. Mon nom est Garber.

— Mais Molly dit que vous êtes son père? Elle lui secoue vigoureusement la main, avec sur le visage une expression charmante qui exprime en même temps de la confusion. Molly voulait sûrement dire son beau-père. La journée a été longue pour nous tous.

— Je suis bien son père. Lasker est son beau-père. Elle porte son nom.

— Oh! Madame Gianelli retire sa main, légèrement affligée. Toutes mes excuses. C'est notre époque moderne qui veut cela.

— Comment allez-vous, monsieur? dit Sam, en entrant dans le cercle.

— Je te présente Sam Rutledge, dis-je.

— Sam? Enchanté de faire votre connaissance.

— Nous sommes très bons amis, dis-je. Il pourrait peut-être venir avec nous?

Ce n'était pas une chose à dire. Mon père a l'air de peser toutes les réponses possibles. Finalement, il dit :

— Peut-être une autre fois? Pardonne-moi, Sam, mais Molly et moi nous n'avons pas parlé ensemble depuis un bon moment. Tu comprends?

Sam comprend plus que ne le pense mon père.

— Certainement, dit Sam. Amusez-vous bien. Molly, tu vas nous manquer au Upper Crust.

Sam me presse la main droite en souriant de son merveilleux sourire. Puis, il me fait du bout des lèvres : ''du calme''.

— Le soir de la première, nous sortirons tous ensemble, dit madame Gianelli en prenant Sam par le bras pour le ramener dans les coulisses. Enchantée d'avoir fait votre connaissance, lance-t-elle à mon père en lui faisant de la tête un signe d'adieu.

— Enchanté d'avoir fait *votre* connaissance, dit

mon père. Puis, il se tourne vers moi. Tu veux prendre le temps d'enlever tout ça?

— Oh, le maquillage! J'avais complètement oublié que j'en avais.

— Il est plutôt épais, mon petit. Mais j'aurais peut-être mieux fait de me taire.

— Pas du tout. Je touche mon visage et je fais la grimace. Ça m'étonne que vous m'ayez reconnue. Vous pouvez attendre un petit moment?

— Certainement. Juste un petit moment.

Il sourit, heureux d'avoir trouvé quelque chose pour rompre la tension. Je cours vers les coulisses, je saisis le pot de crème. Je suis tellement occupée à me dépêcher que j'en oublie de me demander où il a bien pu être ces dernières semaines ou pourquoi, en l'occurrence, il revient.


Nous avons une table réservée au Tecolote, un endroit avec des fleurs, des nappes, du cristal, et tout et tout, qui me rappelle un peu le Chile House, mais c'est loin de la zone touristique. Ce sont surtout les gens du quartier qui y mangent.

Nous nous asseyons, nous admirons les fleurs, nous regardons le menu, puis je soulève cette question :

— Comment se fait-il que vous connaissiez le Tecolote? En général, les gens qui ne sont pas du coin n'en ont jamais entendu parler.

— C'est Martin qui me l'a suggéré.

— *Martin*?

— J'ai expliqué à Martin ce que j'avais en tête. Il m'a dit que ce serait un bon endroit où aller. J'ai parlé avec lui en attendant que ta mère vienne au téléphone.

— Ça m'étonne qu'il n'ait pas suggéré le Chile House. C'est ce qu'il fait habituellement.

— C'est ce qu'il a fait cette fois aussi. Mais après, il a ri en disant qu'il se doutait que je ne m'y sentirais pas très à mon aise avec Ellen dans les parages.

— Est-ce que vous y êtes déjà allé?

Il fait non de la tête.

— C'est une honte. C'est un endroit formidable.

Je me sens soudain seule et j'ai envie d'être à la maison.

Il prend une gorgée d'eau.

— Sûrement. Susan et Bethie y vont souvent.

— Susan et Bethie? Qui est-ce?

— Des femmes qui habitent dans le même immeuble que moi. Ils ont finalement ouvert la piscine et c'est là que nous avons fait connaissance. Il y a beaucoup de gens sympathiques dans cet immeuble.

Deux pensées me viennent à l'esprit : *Voilà qui explique son bronzage* et *Donc, vous avez tout le temps été ici*.

— Vous avez loué un appartement ici?

— Mais bien sûr. Je te l'avais dit.

— Je m'en souviens. Mais après vous avez disparu.

— Il fallait que je me retrouve.

— Qu'est-ce que ça veut dire?

— J'avais besoin de me reposer et de penser. Ta mère n'a pas été très amicale avec moi, tu sais, quand j'ai fait irruption chez vous, le jour de ton anniversaire. Si les regards pouvaient tuer, je serais maintenant un homme mort.

— Elle était surprise de vous voir, dis-je pour sa défense.

Il rit, d'un rire désagréable.

— Je le parierais.

— Moi, en tout cas, j'étais surprise. Vous ne devriez pas être fâché contre elle à cause de cela. Je bois nerveusement une gorgée d'eau.

— Son regard, dit mon père, n'exprimait pas la surprise. Mais ne parlons pas d'elle ce soir. C'est ta mère, après tout. Tu dois la respecter.

— Et je la respecte.

— C'est bien. Je ne veux rien y changer.

Une serveuse approche pour voir si nous sommes prêts à commander. Mon père me demande ce que je veux manger. Quand je réponds que je ne le sais pas, il me dit qu'il va commander pour les deux. Et c'est ce qu'il fait, les deux plats les plus chers. Puis, il rend les menus en me souriant.

— Ce garçon que tu m'as présenté, ce Sam, c'est un bon ami à toi?

— En quelque sorte, oui.

— Il a l'air gentil.

— Il l'est, dis-je en rougissant un peu.

— Qu'est-ce qu'il a l'intention de faire?

Une serveuse vient préparer les salades devant nous.

— Quand?

— Plus tard, répond mon père. Qu'est-ce qu'il a l'intention de faire dnas la vie?

J'essaie de me rappeler si nous avons parlé de cela.

— Je ne le sais pas, dois-je admettre. Acteur, peut-être. Il est vraiment très bon dans la pièce.

— Les acteurs ne gagnent pas assez d'argent, à moins qu'ils n'arrivent à percer. Tu ne voudrais pas vivre avec quelqu'un qui ne gagne pas un salaire confortable?

Je pouffe dans la laitue romaine.

— Vous plaisantez? Nous avons à peine seize ans. Nous n'en sommes pas à parler de *mariage*.

— Tant mieux, fait-il sur un ton plein de suffisance. Mais souviens-toi de ce que je t'ai dit.

— Je m'en souviendrai, dis-je sur un ton sarcastique, en regrettant que Sam ne soit pas là.

— Cette laitue est bonne, elle est fraîche. J'aime les restaurants où l'on sert des produits frais.

Pendant un moment, nous mangeons en silence. Le plat de résistance arrive, des poivrons farcis fumants avec du fromage fondu. Tout ce que je trouve à dire, c'est que c'est bon.

— En effet, approuve mon père. Puis, il pose sa fourchette et me demande : Es-tu heureuse?

— Si je suis heureuse? Je ne comprends pas ce qu'il entend par là.

— Oui. C'est juste pour savoir. Es-tu heureuse, ici, avec ta mère et Martin?

— Bien sûr que je le suis. J'aime Santa Fe. Beaucoup. J'ai tous mes amis ici. Je pense : *Sam est ici.*

— Et tu es heureuse avec ta mère et ton beau-père? Tu trouves qu'ils forment un couple heureux et tout ce qui s'ensuit?

Je me dis qu'il cherche à me faire parler, comme le disent tous les livres sur comment-vous-adapter-au-divorce-de-vos-parents.

— Je pense qu'ils forment un couple *très* heureux, et tout ce qui s'ensuit. Pourquoi est-ce qu'ils vous intéressent tant?

— Eh bien, ils font partie de ta vie.

— Pourquoi ne me demandez-vous pas à quelle université je veux aller, par exemple? Des choses de ce genre?

Il rit.

— D'accord. À quelle université veux-tu aller?

— Je ne sais pas trop. Il y en a bien une à Santa Fe mais c'est cher. Il faudra peut-être que j'aille loin d'ici.

— Tu pourrais aller au Texas. Tu serais près de moi.

— Je croyais que vous alliez rester au Nouveau Mexique.

— C'est possible, c'est possible, fait-il comme s'il était encore en train de se poser sérieusement la question.

Nous avons presque fini notre plat. Nous sommes

si nerveux que nous mangeons trop vite. Je refuse le dessert et je regarde mon père boire son café.

— Est-ce que je peux vous poser une question?

— Bien sûr. Il boit une gorgée de café et pose sa tasse comme s'il s'apprêtait à fournir une longue réponse. Vas-y, tire. Qu'est-ce que tu veux savoir?

— Je veux savoir pourquoi vous faites cela. Pourquoi vous revenez maintenant. Pourquoi vous ne l'avez pas fait plus tôt? Parce que des années ont passé. Pas des semaines ni des mois. Alors, pourquoi est-ce que vous faites ça?

— Tu n'es pas contente de me voir?

— Je ne le sais pas. Mais je n'aime pas que ma mère soit contrariée. Maintenant, vous êtes là, et c'est bien, mais elle en est tout ébranlée. Je ne suis plus une gamine qu'on peut emmener au zoo le samedi, vous savez. Alors, à quoi tout cela rime-t-il?

— Tu as un caractère entier, n'est-ce pas? Mais il ajoute sur un ton admirateur : Tu ne mâches pas tes mots.

— Vous m'avez dit que je pouvais vous poser une question.

— Je sais. Il pose sa serviette. Mais je ne pensais pas que ce serait ce genre de question. J'imagine que je devrais présenter des excuses. Mais je n'en ai pas. Ce qui est fait est fait. Je regrette.

— Je ne vous demande pas des excuses.

Je le regarde avec attention. Encore une fois, je regrette que Sam ne soit pas avec nous.

Il fait signe à la serveuse et lui demande une autre

tasse de café. ''Merci'' fait-il une fois le café versé, puis il s'adresse à moi :

— Je ne t'en voudrais pas si tu ne voulais pas me revoir. Je ne veux pas semer la confusion dans ta vie. Je ne veux même pas causer de problèmes à ta mère. Je lui en ai déjà causé suffisamment, j'imagine, quoique, en ce qui me concerne, ce soit secondaire.

— Pourquoi ne lui avez-vous pas versé de pension pour moi?

— Je l'ai fait. Ta mère ne te l'a pas dit?

— Elle a dit qu'elle avait dû vous faire un procès pour en recevoir une.

— Que veux-tu que je te dise? Il hausse les épaules. Elle dit la vérité. Monter mon affaire exigeait chaque centime de mon capital. C'est quelque chose qu'elle ne peut pas comprendre. Et je ne lui dois pas d'explication après tout ce temps.

— Elle a dit aussi que vous avez disparu de la circulation pendant un moment. Que vous ne lui avez pas laissé d'adresse ni de numéro de téléphone.

— Écoute. Il s'essuie les lèvres d'un geste coléreux. C'est vrai. Pendant une courte période de temps, moins de six mois. Il fallait que je parte. Je ne voulais pas lui parler. J'ai fait ce qu'il fallait pour ça.

— Mais elle m'avait avec elle. Et si j'étais tombée malade? lui lancé-je impitoyablement.

— Ta mère aurait très bien su se tirer d'affaire

64

toute seule. Tu n'étais pas entre les mains de n'importe qui.

— Mais vous n'auriez pas voulu être au courant?

— Oh, mon Dieu! Il a soudain l'air fatigué. Je ne suis pas bon à ce jeu-là. Vraiment pas. Tout ce que j'ai fait alors me semblait logique, *c'était* logique. La logique, c'est très important pour moi. Tout ce que tu me dis en ce moment et tout ce que ta mère avait l'habitude de me dire reposent sur l'émotion.

Je regarde mon assiette vide en pensant : *Sam, montre-toi.*

Il rit brièvement.

— Tu ne réagis pas comme en principe tu le devrais. Tu devrais trouver que je suis un type formidable. Nous sommes là tous les deux! Ce devrait être un événement heureux. Mais ta mère a dû te laver le cerveau au point que tu n'es pas en mesure de comprendre que tes deux parents t'aiment.

— *Elle n'a pas fait ça.*

— Mais si, Molly, sûrement. Tu te raidis dès que je la mentionne. Tu ne crois pas que, pendant toutes ces années, elle ne t'a pas glissé des petites choses à propos de ton papa. Tu me crois nigaud à ce point?

— Je ne vous prends pas pour un nigaud. Mais elle ne m'a pas fait de lavage de cerveau. Vous ne la connaissez pas du tout.

— D'accord, elle ne t'en a pas fait, dit-il en capitulant. Écoute. Cette rencontre ne se déroule pas très bien. Ce n'est pas ce qu'on peut appeler une soirée mémorable. Si je te ramenais chez toi? Nous pouvons faire une autre tentative dans quelques jours.

— Quand pensez-vous retourner au Texas, si vous y retournez?

— Je ne le sais pas.

Il prend la note et se dirige vers la caisse. Je le suis. Je me sens drôle, troublée.

— Pas avant d'avoir mis les choses au clair avec toi, me prévient-il en signant son chèque. Et si ta mère te le demande — elle le fera sûrement — tu peux le lui dire.

# CHAPITRE NEUF

Mon père me ramène en voiture. Nous ne parlons pas, nous pensons. Avant, ma vie se déroulait simple et heureuse, relativement heureuse, en tout cas. Il y avait l'école, la maison, le restaurant, les montagnes. Puis, il y avait mes rêves de m'évader loin de tout ça, d'essayer quelque chose de différent.

Je regarde son profil. Je me rappelle comment je l'imaginais avant de le connaître. Dans mon imagination, il n'avait pas vraiment de visage. Il n'était pas gros et blond, bien que je l'aie vu en photo. Il ressemblait à ma mère, il était petit et plein d'entrain, il souriait facilement.

Je le voyais toujours en train de sourire. Il m'invitait à vivre avec lui, s'excusait pour tous ses torts et promettait de ne plus en causer, jamais. Il me serrait tout le temps dans ses bras, en essuyant parfois les larmes qui coulaient de ses yeux sans forme, sans couleur.

Et ma mère nous regardait en souriant, heureuse que nous soyons enfin réunis à nouveau. Elle avait toujours l'air jeune, insouciante, moins marquée par la vie que dans la réalité.

Je ne les avais jamais imaginés se détestant ou se disputant à cause de moi.

Aussi, devant le fait établi, j'éprouve un choc. Cela me rend malade. Comme si on m'avait enlevé le coussin sur lequel j'étais assise pour mettre à la place une feuille de verre ou une couche de glace dangereusement mince. Une espèce de piège.

Mon père s'arrête dans notre allée et se penche par-dessus moi pour m'ouvrir la porte. Il laisse le moteur de sa grosse voiture en marche.

— Je regrette que cette soirée n'ait pas été plus agréable, dit-il.

— Je n'ai pas dit qu'elle n'avait pas été agréable. Est-ce que vous êtes fâché contre moi?

— Non.

— J'essaie d'être gentille.

— Mais cela te demande tant d'effort. Tu agis comme si passer un moment avec moi allait te *tuer*.

— Je suis désolée.

Je descends de voiture et je ferme la porte. Les étoiles sont incroyables cette nuit. Elles le sont souvent à Santa Fe, de grandes lumières vives qui scintillent dans le noir comme des diamants sur le velours du bijoutier.

— Nous allons faire un autre essai, dit-il.

— Vous l'avez dit au restaurant.

— Je pense sincèrement que nous devrions.

Puis, il sort de l'allée en marche arrière sans plus me regarder. Je continue à contempler le ciel, en m'efforçant de ne pas penser, mais je peux l'entendre qui s'éloigne. C'est amusant : il roule trop vite. *Comme un gamin. Comme Espinoza, ou un de ses amis.*

Ma mère est là, pelotonnée dans un fauteuil en cuir, telle le Cyclope attendant Ulysse dans sa caverne. Je ne m'attendais pas du tout à cela - lui parler à elle, aussi. Elle était censée être au Chile House, en train de présenter les menus, d'inspecter les fleurs et d'amuser les clients. Elle sait très bien s'y prendre, surtout pendant la saison touristique, quand des célébrités viennent à Santa Fe.

Une fois, Elisabeth Taylor est venue au restaurant, entre deux maris et entre deux films. Ma mère était si excitée qu'elle a téléphoné à la maison pour me dire de venir en taxi au restaurant. Elle était prête à payer n'importe quel prix. Et c'est ce que j'ai fait. Ma mère et Elisabeth Taylor parlaient comme d'anciennes camarades de classe. Je les ai regardées pendant cinq minutes sans que personne s'aperçoive de ma présence, Elisabeth Taylor, ma mère et plein de gens du cinéma avec une drôle d'allure, le visage pâle et les yeux énormes. Ils s'appelaient tous entre eux ''mon chéri'', ''ma chérie'' et ils appelaient aussi ma mère ''ma chérie''. Ils ont dîné pour deux cents dollars, mais ma mère était si excitée qu'elle leur en a fait cadeau. Ce qui lui a valu en retour un ou deux ''ma chérie'' supplémentaires et un menu autographié. Elle parle encore de cette soirée de temps en temps. Elle aimerait voir Robert Redford ou Tom Selleck, la prochaine fois.

Je repense à cela en la voyant, habillée comme une mère tout à fait ordinaire, prête à me questionner, comme les parents sont censés le faire. Elle est en jean et tricot bleu, des vêtements confortables qui indiquent qu'elle est à la maison pour la soirée. Est-ce que je vais devoir lui parler pendant très longtemps?

— Comment ça s'est passé?

— Comment se fait-il que tu ne travailles pas?

J'ai envie de passer en courant, d'éviter ses questions, d'aller au lit et de penser à Sam.

— Je me suis donné congé pour la soirée.

— Tu es malade? Ton rhume des foins te reprend?

— Ça va très bien. Je pensais simplement que je devais être à la maison au moment où tu rentrerais ce soir. Au cas où il y aurait un problème.

Je m'assieds sur une chaise en face d'elle.

— Alors, raconte, dit-elle. Tout s'est bien passé? Vous avez eu un moment agréable, ton père et toi?

— Tout s'est bien passé. En fait, il ne s'est pas passé grand-chose.

J'évite de la regarder directement.

— En tout cas, il t'a ramenée à l'heure.

— Oh, bien sûr. Tu en doutais?

— Je lui avais dit vers dix heures.

— Et il est — je regarde ma montre — huit heures vingt-cinq.

— Je ne pensais pas qu'il abrégerait autant la soirée. Vraiment pas.

Je la regarde attentivement. Elle cesse de parler un

instant. Puis, elle reprend :

— J'ai été surprise de le savoir encore en ville. Pas toi?

— Oui. Moi aussi.

— J'imagine qu'il a toujours été là.

— C'est ce qu'il m'a dit.

— Je me demande pourquoi il a attendu jusqu'à maintenant pour t'inviter, alors.

— Tu y es pour quelque chose, dis-je. Il pensait que tu étais furieuse contre lui.

— *J'étais* furieuse.

— Tu *étais*?

— Je le suis. Je ne vais pas te mentir, Molly. Je ne suis pas en colère parce qu'il est ici maintenant. Ce qui me met très en colère, c'est qu'il refasse surface après avoir disparu de la circulation pendant si longtemps. Je voudrais bien savoir où il est écrit que des gens peuvent cesser d'être des parents pendant des années quand l'envie leur en prend, et revenir comme si de rien n'était.

Le feu est en train de mourir. Elle se lève et le remue sans énergie.

— Et Martin se sent si mal, dit-elle. Il s'est donné tant de mal pour être un père pour toi.

— Je sais, et je l'aime.

Je pense vraiment ce que je dis.

— Il en est complètement atterré.

Je baisse les yeux et me regarde les mains. Je suis très fière de mes mains, peut-être parce que c'est ce que j'ai de mieux.

— Je crois que tu es bien plus contrariée que lui, dis-je. Je pense que tu joues dans tout ça un rôle plus grand que Martin.

Elle me regarde comme si je l'avais frappée.

— *De quel côté es-tu?*

— Du tien, dis-je en fourrant mes mains dans mes poches. Si je comprends bien, et s'il s'agit d'une guerre.

Nous nous taisons pendant un moment.

— Oh, mon Dieu, Molly. Qu'ai-je fait? Tu vas finir par me haïr.

— Voyons, maman, ça n'a pas de sens. Je t'aime. Et lui, je ne l'aime pas. Mais la situation étant ce qu'elle est, je ne peux même pas manger avec cet homme sans avoir envie de vomir. Je ne veux pas avoir de grands rapports avec lui. Je veux juste pouvoir manger à la même table que lui sans en devenir malade.

Dehors, des chiens passent en courant et en aboyant.

— On devrait les tenir en laisse, dit ma mère.

— Tu vois? Avant, ces chiens ne te dérangeaient pas. Tu aimes bien les chiens. Je t'ai déjà vue donner à ces mêmes chiens des restes de viande quand tu en avais.

— Les chiens doivent être tenus en laisse, c'est la loi.

Puis, elle commence à pleurer, abondamment. Cela dure un long moment.

Elle cesse de pleurer. Je m'approche d'elle et je

passe un bras autour de ses épaules. Les larmes sur ses joues me mouillent le visage.

— Tu ne peux pas comprendre, à moins de passer par là toi aussi. Et je ne te le souhaite pas. Mais, tu es mon enfant. Il aurait pu t'aimer lui aussi, mais il n'a pas su saisir la chance qu'il avait. Alors, j'ai été ton père et ta mère. Je ne le hais pas, pas vraiment. Quand il est parti, ç'a été comme si on m'avait arraché une mauvaise dent. Maintenant, c'est comme si un dentiste fou essayait de me reposer la mauvaise dent en question, tu comprends?

— Qu'est-ce que tu dirais d'un chocolat? dis-je.

— Qu'est-ce que tu dirais d'un peu de vodka?

Elle essaie de plaisanter. Une larme jaillit encore de ses yeux de temps en temps. Je vais rester assise près d'elle encore une ou deux minutes, puis j'irai dans ma chambre. Elle se sera remise.

— Parlons de ton petit ami, dit-elle de but en blanc.

— Sam?

— Oui, dit-elle en riant. Assez parler de *William*. Elle projette son nom sur un ton ironique, en souriant. Parlons plutôt de Sam.

C'est ce que nous faisons, pendant une heure ou plus, jusqu'à ce que Martin téléphone pour savoir comment elle va.

— Bien, lui dit ma mère. Je passe une soirée très agréable en compagnie de Molly. Ça va bien. Vraiment.

Plus tard dans la soirée, quand je vais me coucher, je réalise combien le bonheur de ma mère dépend de moi. C'est beau, mais c'est terrifiant aussi. De la même façon que penser à Sam est beau, et terrifiant aussi. Sam attend de moi que j'assume toute cette histoire de père calmement et sainement, et je ne suis pas certaine d'en être capable.

# CHAPITRE DIX

Le lendemain matin, à l'école, Sam m'attend près du Mur. Son texte fourré dans la poche, comme d'habitude, il flâne en compagnie de deux autres garçons. Quand il me voit, il s'écarte d'eux.

— Comment ç'a été?

— Le dîner?

— Il n'a pas essayé de t'emmener vivre avec lui? Il n'a pas essayé de t'acheter avec des diamants?

— J'aurais bien voulu.

— Il ne t'a pas offert de t'emmener sur la Riviera, loin de tout ceci?

— Où vas-tu chercher des idées aussi folles?

Je le regarde. J'aime ses niaiseries.

— Madame Gianelli et moi nous en avons parlé hier soir au Upper Crust. Comme ce serait dramatique tout ça, quelle belle pièce ça ferait. On pourrait l'appeler *Réunion*. Une jeune adolescente charmante revoie son père pour la première fois après — ça fait combien de temps?

— J'ai oublié. Longtemps.

— Pour la première fois après bien longtemps, continue-t-il, en souriant et en glissant son bras sous le mien.

Je ne suis pas transportée par sa fantaisie au point de ne pas remarquer ce geste. Je me sens merveilleusement bien.

— Quoi qu'il en soit, le père se sent terriblement coupable, alors il s'arrange pour se faire bien voir par sa fille. Il lui achète des vêtements; il l'emmène à Paris. Il l'invite à dîner — où êtes-vous allés?

— Au Tecolote.

— Il l'invite à dîner au Tecolote. Mais notre héroïne se rend-elle? Pardonne-t-elle à son père son éloignement insensé et l'accepte-t-elle?

Il m'observe en grimaçant. Il n'a pas ses lunettes de soleil.

— Alors, c'est ce que tu as fait?

— Quoi?

— Tu lui as pardonné.

— Ah, Sam. Ne sois pas stupide.

— Ne manquez pas le prochain épisode passionnant de la *Réunion*. Un épisode plein de sentiment et d'action. Tu veux aller prendre un café au Gourmet après la répétition?

— Les requins ont-ils des dents? dis-je.

— Bambi a-t-il des taches? Et le voilà reparti. Je l'écoute, je l'aime.


Nous sommes en train de boire un café. Sam redevient sérieux.

— Tu dois être franche vis-à-vis de toi-même en ce qui concerne tes sentiments envers ton père. Tu ne dois pas laisser ta mère, ou Martin, ou ton père te tirailler d'un côté ou d'un autre.

— Je sais, mais c'est difficile.

— Tu es une fille solide. Tu y arriveras.

Le moment est venu d'arrêter notre choix pour les costumes que nous allons porter dans *Notre ville*. J'opte pour une robe de coton blanc qui tombe autour de moi en forme de toile d'araignée. C'est le coton le plus doux que j'aie jamais vu, avec un peu de dentelle, mais pas trop. C'est une robe toute simple, le genre de robe qu'Emily porterait, d'après moi.

Sam la trouve bien, madame Gianelli aussi, et même ma mère (Elle m'a dit : "Elle te donne un air innocent'', ce qui, venant d'elle, est un compliment.)

Je pense donc que le problème du costume est réglé, jusqu'au moment où l'équipe d'éclairage fait un essai et allume toutes les lumières pour la scène de la pharmacie. Les lumières sont très très vives.

— Je vois ses dessous à travers tout ce blanc, dit une voix au fond de la salle.

Espinoza. Ce ne peut être que lui, évidemment.

— Je vois son soutien-gorge. Il a des bretelles en dentelle. *Ohhh, je meurs*. Vous ne pouvez pas laisser Molly jouer comme ça, madame Gianelli. Elle va faire une hécatombe; tous les vieux messieurs vont tomber comme des mouches…

— Ça suffit. Madame Gianelli commence à s'énerver pour de bon; elle a parlé de sa voix d'officier de marine.

Espinoza est debout, en train de s'égosiller comme

un fou. Il me regarde me tortiller, mal à l'aise, sur la scène.

— Il a raison, dit madame Gianelli d'une voix éteinte.

— Vous plaisantez, dis-je, le souffle coupé.

— Je ne plaisante pas. Il a raison. Il va falloir que tu demandes à ta mère de te coudre une doublure.

Le problème est que ma mère ne coud pas. Elle ne sait même pas faire les ourlets. C'est le teinturier qui s'en charge.

— Ou que tu portes une combinaison, dit madame Gianelli. Quelque chose qui te recouvre tout entière sous ta robe.

J'ai envie de quitter la scène et de rentrer tout droit à la maison. Mais le temps passe et la pièce n'est pas encore au point.

Comme si elle lisait dans mes pensées, madame Gianelli propose :

— Vous n'avez pas tous envie d'une pause-Coka? Et toi, Molly, tu pourrais remettre ton jean? Parce qu'il faut travailler l'éclairage pour cette scène; après, ce sera trop tard pour faire des améliorations. Heureusement que nous nous sommes rendu compte de ça avant le soir de la première.

Sam me regarde et dit :

— Ce n'est pas tragique, petite.

— Je suis déjà tellement nerveuse. Il ne manquait plus que ça pour faire déborder la coupe.

— Des dessous? Il pouffe. Allez, déguerpis.

Mais il a le visage tout rouge; il semble mal à l'aise, et il se comporte gauchement tout le reste de la journée.

# CHAPITRE ONZE

C'est maintenant la saison des lilas à Santa Fe, quelque chose que peu de touristes ont l'occasion de contempler car elle a lieu à un moment peu propice, entre la fin de la période de ski et le début des vacances estivales. Ce sont donc les gens qui habitent ici toute l'année qui en profitent; un chef-d'oeuvre, rien que pour nous.

Les lilas de Santa Fe ne sont pas des lilas ordinaires, pas du tout. Les fleurs éclatent, énormes, violettes; elles déversent un parfum si caustique que toute la ville en est remplie pendant deux ou trois semaines. On s'éveille le matin dans cette senteur et au milieu du chant des oiseaux.

— Comme un film permanent de Disney, grogne Martin. Mais il aime cela lui aussi.

Ma mère coupe de pleines brassées de fleurs et les met dans des vases au restaurant et à la maison. Elle doit absorber une double ration d'antihistaminiques. Leur pollen, dit-elle, est ''fatal'', mais cela en vaut la peine. Nous sommes entourés de ces fleurs et leur fragrance est agréable à sentir.

C'est samedi après-midi. Elle est en train d'arranger des lilas, elle a tout son temps, elle se frotte de

temps en temps le nez avec un papier-mouchoir. Le
téléphone sonne. Au lieu de répondre tout de suite,
elle termine son arrangement, recule pour l'exami-
ner sous un certain angle. Puis, au bout de quatre son-
neries, elle lève le récepteur et dit Allô. Son visage
marque immédiatement de la répugnance.

— Oh, c'est toi, dit-elle en s'appuyant contre le
mur. Elle pose sa main sur le microphone et se tourne
vers moi.

— Est-ce que tu es à la maison?

— Qui est-ce?

— Ton père.

Bien sûr, ce ne peut être que mon père : cette répugnance sur le visage de ma mère, le ton tranchant de
sa voix.

— J'imagine que je dois lui répondre.

Sans rien dire, elle me tend le téléphone et va dans
la cuisine, assez loin pour ne pas entendre.

— Allô, dis-je.

— *Molly*! Il a l'air heureux, un peu éméché peut-
être. Qu'est-ce que tu fais, hein?

— En ce moment?

— Oui, en ce moment?

— Je suis en train de vous parler.

Je sais que ce n'est pas drôle, mais je ne trouve rien
d'autre à dire.

Il rit comme si c'était brillamment intelligent. J'en
suis déconcertée. Mais c'est mieux de l'entendre rire
que de l'entendre devenir amer de dépit. *Cette rencontre ne se déroule pas très bien, hein? Ce n'est pas*

*ce qu'on peut appeler une soirée mémorable.*

— Est-ce que tu as le temps de faire une petite promenade en voiture? On pourrait aller à Chimayo.

— Mais pourquoi diable là?

— Pour manger. J'ai entendu dire qu'il y avait un bon restaurant.

— Effectivement, mais c'est loin.

— J'ai le temps. Si tu viens, nous allons pouvoir passer un moment agréable en chemin.

— Écoutez. Vous n'êtes pas obligé de me nourrir chaque fois que nous nous voyons, vous savez? Vous n'allez jamais savoir de quoi j'ai l'air quand je n'ai pas la bouche pleine.

— C'est vrai, c'est vrai, dit-il, enjoué.

Mais le ton de la conversation a quelque chose d'étrange. Il me vient à l'esprit que c'est peut-être de cette façon qu'il parle à ses bonnes amies quand il leur donne rendez-vous. Il ne doit pas savoir parler autrement aux femmes.

— Je vais voir avec maman.

— Certainement. Demande-lui si elle veut venir. Puis il se reprend. Non, ce n'est peut-être pas une bonne idée. Mais je suis de si bonne humeur, c'est sorti tout seul.

— Qu'est-ce qui vous rend si heureux?

— Rien. Il fait simplement une journée magnifique.

— C'est peut-être à cause des lilas.

— Des quoi?

— Des lilas. Ces fleurs violettes qui fleurissent en

81

•

ce moment.

— Oh, dit-il, très jovial, très remonté. Je me suis posé des questions là-dessus, aujourd'hui. J'allais demandé à ta mère ce que c'était. N'est-ce pas qu'elles sentent terriblement bon?

L'idée de cette excursion n'enchante guère ma mère. Elle est contrariée, mais pas au point de dire non. Donc, nous allons à Chimayo dans la grosse Buick de mon père. Il a apporté une bière avec lui et il se comporte comme s'il en avait déjà bu une ou deux auparavant. Mais il n'est pas ivre. Il conduit prudemment sur la route de montagne, presque trop lentement et il respecte exactement les limites de vitesse, en jetant de temps en temps un coup d'oeil au cadran. Puis, il me regarde et sourit :

— On n'est jamais trop prudent quand on a sa fille avec soi.

— Vous devriez constamment surveiller la route; elle est inondée au printemps. Alors, il y a des nids de poules.

— Des nids de poules?

— Des gros, dis-je en épiant le virage. Regardez là-bas.

Il roule juste dedans.

Mais le reste du chemin se déroule presque sans heurt. La route de Chimayo est si jolie, avec des formations rocheuses gargantuesques se détachant sur les montagnes et le ciel qui est plus bleu que la normale.

Mon père tripote la radio, sans localiser la station

qu'il cherche. Il l'éteint.

— Est-ce que l'air conditionné n'est pas trop froid? demande-t-il. Ta ceinture est bien attachée? — Il est obnubilé par sa Buick. Je vérifierai la consommation d'essence au retour.

— Pourquoi?

— À cause du changement d'altitude. Je ne sais pas dans quelle mesure ça joue sur l'essence. C'est important de ne pas laisser de côté ce genre de choses. Il faut écouter ta voiture, sinon elle te reste entre les mains.

Il plisse les yeux en apercevant Rancho de Chimayo. Ses toits de tuiles rouges brillent au soleil.

— Ta mère ne surveillait jamais sa voiture. Tu sais quand elle y mettait de l'huile? Quand la lampe rouge s'allumait. Je ne comprends pas comment le moteur ne lui a pas explosé dessus.

— Elle ne s'est jamais intéressée aux voitures.

Je me dis que cette affirmation est tellement en dessous de la vérité qu'elle n'est pas trop déloyale de ma part. Son indifférence pour les moteurs est légendaire, c'est un sujet de plaisanterie dans la famille.

— Je parie que si tu avais une voiture, tu saurais t'en occuper.

— Je ferais de mon mieux.

— Et ton beau-père pourrait t'aider. Il s'y connaît en voitures?

— Il n'y met jamais la main. Mais il fait faire les mises au point. C'est ce que vous voulez dire?

Il fait signe que oui de la tête puis se tait pendant

un moment. Au restaurant, il commande un menu énorme, dont nous mangeons presque tout. Il aime bien les tortillas de maïs bleu. Le repas est plus décontracté qu'au Tecolote. Il est plein de bonnes dispositions, il fait de petites plaisanteries. Il mentionne ma mère moins souvent que la dernière fois, mais il semble vouloir en savoir davantage sur Martin : quel genre d'homme il est, quelles sont ses habitudes. Quand il décide de retourner à Santa Fe, je sens que c'est parce qu'il a trop mangé et qu'il est fatigué, pas parce qu'il veut mettre un point final à notre rencontre.

Sur le chemin du retour, il dit :

— J'ai passé un bon moment.

Par la fenêtre, je vois une famille en train de pêcher dans la Nambe. L'homme a pêché plein de truites, des grosses.

— Et toi? me demande-t-il. Tu t'es bien amusée?

— Excusez-moi?

— Est-ce que tu as passé une bonne journée?

*Il doit me poser la question. Il ne peut pas le lire sur mon visage.*

— Bien sûr.

Il paraît soulagé.

— Je pense que c'est comme ça qu'il faut procéder. Un jour de temps à autre. Un dîner par-ci, par-là. Peut-être toute une journée ensemble au bout d'un moment. Je ne veux pas te bousculer.

— Toute une journée ensemble, ça me semble difficile, dis-je rapidement et franchement, me rappe-

84

lant les paroles de Sam.

— Pourquoi donc? dit-il peut-être plus sèchement qu'il n'aurait voulu.

— Je ne passe même pas des journées entières avec maman. J'ai tout simplement d'autres choses à faire. L'école. La pièce. Vous comprenez?

— Ton petit ami te prend du temps, j'imagine.

— Je ne passe pas tant de temps que ça avec Sam. On se voit en coup de vent.

Cela réduit à bien peu de choses ce que nous éprouvons l'un pour l'autre mais je ne veux pas parler de Sam à mon père.

— En coup de vent?

— C'est-à-dire que nous nous voyons quand nous le pouvons.

Il a un petit sourire compréhensif.

— Ça nous est difficile de sortir ensemble le soir. Ni l'un ni l'autre nous n'avons de voiture.

— Sam ne sait pas conduire?

— Oh, il sait conduire, mais ses parents se servent tout le temps de la voiture. Il ne peut pas souvent la prendre.

— Ce n'est pas bien de leur part. Mais toi, tu sais conduire?

— Un peu. Martin m'a montré comment me servir du volant.

— Il a une voiture standard ou automatique?

— Automatique.

Je me demande pourquoi il me pose toutes ces questions.

— Alors, tu peux apprendre facilement. Il n'y a pas d'embrayage.

L'air conditionné devient trop froid. Il me tombe sur les jambes. Je l'oriente vers mon père.

— Tu sais, Molly, je ne t'ai jamais fait de cadeau d'anniversaire. Je me demande ce que tu aimerais ou ce dont tu aurais besoin.

— Je n'ai besoin de rien. Mon anniversaire est passé, de toute façon.

Je me sens soudain très fatiguée et j'aimerais que la soirée soit finie.

— Mais je l'ai manqué et je veux te donner quelque chose.

Il a le visage soucieux, comme s'il était en train de résoudre un problème. Finalement, il me regarde, avec un sourire plein d'espoir.

— Que dirais-tu d'avoir ta propre voiture? Ça te simplifierait les choses, tu ne crois pas?

# CHAPITRE DOUZE

Le jour suivant, c'est dimanche et le dimanche j'ai l'habitude d'aller à Hyde Park avec Sam. Nous avons tous les deux désespérément besoin de grand air. Les semaines de répétition dans des salles obscures commencent à nous peser. Parfois, je me sens comme la fiancée de Dracula, qui ne sort prendre l'air qu'après le coucher du soleil.

La bicyclette de Sam a un frein cassé, alors nous prenons un taxi jusqu'au chemin Artist, puis nous faisons à pied le reste du trajet jusqu'en haut de la colline. En arrivant à la lisière de la forêt, j'ai des ampoules. Comme j'aimerais avoir une voiture, pour aller partout où j'en ai envie.

— Je me demande s'il le disait sérieusement, dit Sam.

— Il m'a demandé de ne pas en parler encore à ma mère, parce qu'il devait résoudre quelques détails.

— Il va peut-être attaquer une banque.

— C'est malain. Il n'a peut-être pas besoin de le faire.

— Il est peut-être riche. Très riche. Qu'est-ce que tu en penses?

Je ne le pense pas; je dis non de la tête.

— Peut-être qu'en ce moment même il est en train de t'acheter la voiture.

— Peut-être, dis-je en soupirant.

— Pourquoi fais-tu cette tête-là? Si c'était à moi qu'on achetait une voiture…

— Il y a quelque chose qui me gêne. Tu m'as dit d'être franche.

— Qu'est-ce qui te gêne?

Sa voix monte d'une octave. Je le comprends, mais c'est comme ça, ça me gêne.

— On cherche la rivière? dis-je pour changer de sujet. Elle est par ici, n'est-ce pas? Je crois que je l'entends.

— Elle est sur la gauche, à environ huit cents mètres.

— Allons-y.

— Je croyais que tu n'en pouvais plus.

— C'est vrai. Mais ce serait bien de revoir la rivière. Nous attraperons peut-être une truite.

— Avec quoi, dit Sam, avec nos mains?

— Naturellement, avec nos mains, ou avec un bâton pointu, fais-je en me disant que ce serait rudement primitif.

— Écoute, dit-il en imitant Cary Grant, très civilisé, très anglais. Il me semble que ce n'est pas mon genre.

Nous trouvons la rivière. Il n'y a pas de poisson, même pas de vairons. Il n'y a que de l'eau, stagnante par endroit et qui s'élance au centre comme une fusée. De la mousse verte pousse sur la berge et flotte sur l'eau comme la barbe d'un vieil homme dans l'eau du bain.

— C'est beau, dit Sam, en s'installant dans l'herbe en bâillant.

Je me laisse tomber à ses côtés.

Il tend le bras et m'attire contre lui.

— Banal, dis-je sans le penser le moins du monde.

— Hummm?

— Dire ça de Hyde Park, c'est plutôt banal, tu ne trouves pas?

Il rit et m'embrasse.

— Il n'y a personne autour, murmure-t-il.

— Il y a des petits suisses. Des hordes de sauvages petits suisses.

— Des hordes? Il se redresse et me fixe.

— Des troupeaux?

— Des bancs?

— Des bancs de poissons, idiot, pas des bancs de petits suisses. Je l'aime *vraiment* beaucoup.

— Des compagnies.

— Des bandes.

— Des troupes?

Nous roulons dans l'herbe en riant de tous nos poumons, heureux d'être au soleil. Tout à coup, Sam redevient sérieux.

— Pourquoi est-ce que tu ne veux pas accepter la voiture de ton père?

— Tu es encore en train de penser à ça?

— Je n'arrive pas à croire que tu ne veuilles pas l'accepter.

— Tu dois le croire.

— Mais pourquoi, Molly? Ça dépasse l'entendement humain. Je suis peut-être un peu plus intéressé et superficiel que toi. C'est possible.

Le soleil avait bougé d'un pouce dans le ciel, envoyant un rayon de lumière dans la rivière et illuminant la crique.

— C'est tellement joli, dis-je. Tu ne trouves pas que le paysage est beau?

Sam ne mord pas.

— Pourquoi tu ne veux pas cette voiture?

— Je la veux. J'en *meurs d'envie*. Mais je pense que je ne dois pas l'accepter.

— Pourqoi?

— Parce que, si je l'accepte, il voudra quelque chose en retour.

— Eh bien, fais-lui un beau dessin, plaisante Sam.

— Il voudra sûrement plus que ça, dis-je en prenant une inspiration profonde.

— Donne-lui un magazine avec de belles photos.

Sam ne veut décidément pas être sérieux et, dans un sens, j'en suis contente.

— Ça n'arrangera rien, Sam. William Garber va s'attendre à ce que je lui donne mon affection en retour.

— Bon, alors dis-lui de me donner la voiture. Je lui donnerai mon affection.

— Tu vas peut-être être étonné, mais j'ai quelques principes moraux qui me bourdonnent dans les oreilles.

— Je ne vois rien. Il scrute mes oreilles. Et, pourtant, je fais très attention.

— En voici un... Oh! tu l'as manqué.

— On dirait des petits bonshommes qui sortent en courant de tes oreilles...

— En voici un autre, dis-je en riant.

— Ah non, ça c'est un scrupule.

— Ahhh, tu en es sûr?

— Comment! Je me suis roulé dans l'herbe avec une fille qui n'est pas capable de faire la différence entre la morale et les scrupules? Puis, en hésitant : Molly, je comprends. Vraiment. Je me mets à ta place. Mais moi, j'agirais différemment.

Il m'embrasse à nouveau, longtemps. J'oublie la morale et les scrupules, mon père et sa promesse. Je jouis tout simplement de l'instant. Beaucoup.


Je suis censée aller au restaurant après la promenade. Sam peut venir aussi. Il est spécialement invité. Alors, nous marchons ensemble vers le Chile House, la main dans la main, en regardant les touristes.

La route a une odeur sucrée de musc, qui évoque les piments frits et les derniers feux de pin pignon de l'année. Quand nous atteignons le restaurant, nous nous arrêtons un instant. Sam a un caillou dans sa chaussure. J'aspire toutes les odeurs : les enchiladas chaudes, la bière, la terre mouillée des géraniums de ce nouveau printemps.


Même maintenant, je peux fermer les yeux et sentir ces odeurs, l'atmosphère particulière du restaurant. Des touristes roulaient pendant une heure pour venir prendre un verre de cognac devant la cheminée. On entendait toutes les langues du monde, le français, l'espagnol, l'allemand et même le russe un soir mémorable. Et les gens qu'on voyait là! J'ai déjà parlé d'actrices de cinéma, mais il y avait aussi des écrivains, des politiciens, des playboys qui avaient l'air d'avoir besoin de redorer leur blason. Des femmes enturbannées pour camoufler leurs cheveux teints au henné, des hommes aux doigts brillants de diamants, des peintres indiens des réserves aux bras solides cerclés de turquoise et de corail.

Je passe la porte en compagnie de Sam et quelques habitués me font des signes et m'appellent par mon nom. Je lis sur les lèvres d'une femme : *C'est ton nouveau petit ami*? En tant que mascotte du restaurant, je suis connue, moi aussi.

— Tu es en retard, dit ma mère.

Elle porte une robe émeraude asymétrique et des perles. Pour une fois, elle a l'air belle et jeune, pas trop fatiguée.

— Pas beaucoup.

— Va manger un morceau à la cuisine. Salut Sam, tu es bien Sam, n'est-ce pas? Tu vas manger aussi quelque chose.

J'ai oublié que Sam n'a jamais rencontré ma mère ni Martin. C'est curieux qu'il ait d'abord connu mon père.

— Comment allez-vous, madame Lasker?

— Ça va bien, lui dit-elle avec un sourire. Molly, prends de la nourriture pour vous deux.

— Est-ce que vous avez fait de la salade de laitue de Boston ce soir? demandé-je.

— Naturellement.

— Je peux en prendre?

— Tu peux prendre tout ce que tu veux. Mais trouve quelque chose de plus consistant pour Sam. Il a l'air d'avoir faim. Et quand vous aurez fini de manger, viens me voir. Je voudrais te parler.

Nous allons dans la cuisine. Sam et Martin se mettent immédiatement à parler de base-ball. Je glisse un plat de chiles rellenos devant Sam. Il y donne des coups de fourchette entre chaque phrase. Ma laitue est tendre comme du beurre. Elle a été essorée à la main, couronnée d'olives et de fromage feta. Je mâche en écoutant la partie de base-ball. Au bout de trois tours de batte, il ne se passe pas grand-chose. Mais Sam et Martin ont les yeux rivés sur la télévision. Ils émettent des sons désapprobateurs quand les frappeurs, l'un après l'autre, ratent leur coup.

Un chef cuisinier envoie les plats d'une main experte, en me regardant avec curiosité, mais sans s'approcher. Je ne sais pas combien d'aides il y a au restaurant; ils vont et viennent. Ce sont tous de braves gens, mais ils ne restent pas longtemps dans la même ville.

Je n'ai pas encore fini quand ma mère passe la porte battante et dit :

— Où est Sarah? Est-ce que Sarah travaille ce soir?

— Elle va arriver en retard, dit le chef-cuisinier.

— Elle a téléphoné?

— Je crois qu'elle lui a téléphoné. Il désigne Martin.

— Martin, est-ce que Sarah t'a téléphoné?

— Oh, oui. J'ai oublié de te prévenir. Elle va arriver un peu en retard.

— Est-ce qu'elle a dit pourquoi?

— Elle a dit qu'elle avait un problème avec sa gardienne.

— Zut!

— Je peux aider, dis-je. Je sais comment servir aux tables.

— Tu n'es pas obligée.

— J'aimerais bien. Jusqu'à ce que Sarah arrive, en tout cas.

Je mets un petit tablier blanc et je vais prendre les commandes. C'est un jeu pour moi. Il y a des gens qui demandent ce qui est bon, et quand on a un peu d'intérêt pour le restaurant, on recommande en général un des plats les plus chers. Personne ne m'a jamais appris, j'ai compris en regardant, tout simplement. Quand un homme a rendez-vous avec une belle femme, et qu'il est habillé de façon à l'impressionner, il faut suggérer le steak. Parfois, la femme dit qu'elle est végétarienne. Il y a des centaines de végétariens à Santa Fe. Alors, il faut suggérer les champignons, parce que ce sont les légumes les plus chers de la maison. J'ai des commandes de steak pour trois couples différents et ma mère me regarde, rayonnante. Puis, Sarah arrive, elle bafouille quelque chose au sujet des gardiennes et du petit Josh. À propos, où est le père de Josh?

— Tu t'es bien débrouillée, me dit ma mère. Faisons une pause.

Dehors, dans la cour, elle allume une cigarette.

— Tu fumes depuis quand?

— Depuis que tu as commencé à sortir avec des garçons. Non, mais, quelle petite moraliste tu fais! Au fait,

Sam est très gentil. J'approuve ton choix, si tu le permets.

— Merci. Mais tes poumons...

— Vont devenir verts et se décomposer. Je sais.

Elle soupire, mais non sans avoir inhaler d'abord à pleins poumons.

— Je dis ça parce que je ne veux pas te perdre avant l'heure.

— Je ne veux pas te perdre non plus, dit-elle.

Elle fixe intensément une coccinelle qui grimpe le long d'une tige de géranium.

— Ces coccinelles sont bonnes pour le jardin. Il y a des fermiers qui en achètent.

— Où en trouvent-ils?

— On peut les acheter. En boîte. Des gens doivent en élever pour les vendre, comme les tortues.

— Des coccinelles?

Elle sourit doucement à la lumière de la lampe à gaz. Son visage devient terriblement joli pour un modèle de plus de quarante ans.

— Oui, dit-elle.

Puis, elle secoue brusquement la tête. Sa beauté s'évanouit un peu.

— Molly, ton père m'a téléphoné.

— Quand?

— Juste avant que tu arrives. Ce qu'il avait à dire ne pouvait pas attendre.

— Qu'est-ce qu'il avait à dire?

J'avais presque peur d'entendre la réponse.

— Je crois que tu le sais.

— Mais non.

Je me regarde les doigts.

— Je pense que oui, mon enfant.

Elle prend une autre bouffée.

— Ce sont des cigarettes à faible teneur en goudron. Ce ne sont pas de vraies cigarettes.

— Je ne savais pas.

— Je ne pense pas que tu sois prête pour avoir une voiture.

Sa voix est douce et neutre, pas contrariée ni coléreuse.

— Santa Fe n'est pas une ville pour conduire, Il y a beaucoup de voitures accidentées. Je ne sais pas si c'est parce que les gens boivent ou parce que les jeunes vont trop vite... Mais il y a beaucoup de voitures accidentées à Santa Fe. Et certains accidents sont mortels... Tu comprends?

La coccinelle est presque rendue en haut du géranium. Elle essaie de poser une patte sur un pétale rouge. Elle donne de petits coups de pattes furieux puis elle arrive à se hisser.

— Ce qu'il veut faire, dit-elle doucement, c'est verser le montant initial. Il n'a pas l'intention de payer complètement la voiture. Est-ce qu'il t'a dit ça?

— Non.

— Le versement initial n'est pas un problème. Le problème, ce sont les versements mensuels, que nous pourrions payer Martin et moi, d'accord, et l'assurance et tout ce qui s'ensuit. Et il y a aussi ton cou, qui serait sûrement magnifique dans un plâtre.

— Je serais prudente.

— Je le sais. Ce n'est pas du tout cela qui m'inquiète. Ce qui m'inquiète, ce sont les maniaques occasionnels.

— Tu me protèges trop.

— Je sais.

Je relève la tête, surprise.

— Alors?

— Un jour, tu auras peut-être une fille. Tu comprendras. Je sais que ça a l'air stupide, mais ça m'est égal. Je ne voudrais pas qu'il t'arrive quelque chose si jamais ton père commençait à jouer les Père Noël.

— Ça m'étonnerait, dis-je en comparant mentalement versement initial et achat comptant.

— Tu risques d'avoir des surprises, ma petite.

— Peut-être.

Le soleil descend rapidement et elle frissonne.

— Je vais rentrer et aider Martin à la cuisine, dit-elle.

— Ce n'est pas nécessaire. Sarah est là maintenant.

— C'est thérapeutique, lance-t-elle par-dessus son épaule.

Je regarde son petit dos droit passer la porte. Je me rends compte combien je l'aime.


Je l'ai toujours aimée, même quand j'ai atteint l'âge adulte et que j'ai pu voir ses défauts, ses petits moments de rancune, de malice ou de mélancolie. Il y avait toujours en elle quelque chose qui m'était nécessaire, quelque chose de si ineffablement maternel que j'en avais le coeur douloureux et que mes yeux ont versé des larmes de temps à autre, quand personne ne pouvait me voir.

Je me lève en soupirant et je scrute le jardin à la recherche de coccinelles et de pissenlits. Des choses toutes simples.

# CHAPITRE TREIZE

Moi qui, d'habitude, dors aussi profondément qu'un amateur de football à une représentation de la Traviata, je commence à avoir des insomnies et des cauchemars.

Les restaurants occupent la première place dans mes cauchemars. Mon père, le personnage principal, est toujours en train de mâcher des plats qui coûtent cher en m'observant par-dessus la nappe. C'est sa bouche qui domine : elle mastique, elle parle, elle m'embrasse une joue que je n'ai pas tendue.

Toutes les nuits depuis une semaine, j'entends, étendue dans mon lit, les chiens aboyer et je cherche à savoir s'il est moral d'accepter des cadeaux de la part de quelqu'un qu'on n'aime pas tant que ça.

Avant, j'observais une sorte de cérémonial au moment d'aller au lit. Je mettais une longue chemise de nuit de flanelle, été comme hiver. Les nuits en montagne sont toujours fraîches. Puis, je prenais mon chat Garfield, un ou deux magazines, un transistor et une barre de sucre candy naturel, juste pour être certaine que l'émail de mes dents aurait de quoi s'occuper pendant la nuit. Je me glissais dans mon lit avec tout ça. En tout dernier, je me relevais pour prendre mon album de photos. Je l'ouvrais à la page cinquante-sept, la page de Sam. À ce moment, Garfield avait disparu sous un oreiller, j'avais fini mon sucre candy, la radio passait les chansons à la mode et de la publicité pour des produits contre l'acné, et je pouvais me laisser aller à contempler RUTLEDGE, SAMUEL D. dont le regard ravageur, même en photo, avait le don de me transpercer.

Depuis l'entrée en scène si marquée de mon père, impossible de suivre ce rituel. Dès que je m'assoupis, je commence à rêver à William Garber. Puis, les traits de Sam se superposent aux traits de mon père qui s'estompent. Je ne sais pas ce qu'en conclurait Sigmund Freud. C'est d'ailleurs tout à fait secondaire. Ce qui m'ennuie le plus, c'est que cet agréable ronronnement d'amour qui me berçait est bel et bien détruit. Être amoureux demande beaucoup de concentration, presque autant que l'algèbre. Et ma concentration s'effrite.

Mes problèmes moraux et le conflit d'intérêts Maman-Papa commencent à envahir mon esprit. Sam a sa façon de penser, mais moi, je suis Molly et je dois penser par moi-même.


— Tu veux aller au cinéma? dit Sam.

Je n'en reviens pas.

— Tu m'invites à sortir avec toi pour de vrai?

— Non, je fais semblant.

— Tous les deux tout seuls?

— J'espère bien que oui, Molly. Ma fortune ne me permet d'acheter que deux billets. Pas plus.

— Quand veux-tu y aller? Cette fin de semaine-ci?

— C'est déjà la fin de semaine. On est vendredi, aujourd'hui. Hé Molly, où es-tu? Tu as besoin de recharger tes batteries?

— Il n'y a pas ma taille en magasin.

Il me sourit.

— Alors, passe une commande spéciale. Tu peux aller au cinéma ce soir?

— Est-ce qu'on passe un film qui va me plaire?

Je pose la question alors que ça m'est complètement égal.

— Oui. *Le choc des titans*. C'est le film que j'ai envie de voir. C'est moi qui paie après tout.

Je me retiens de rire et je laisse échapper un croassement.

— Le jour où tu auras envie de voir un film en particulier, tu peux m'inviter, continue-t-il. Dans ce film, Laurence Olivier joue le rôle de Zeus. Il y a aussi la Gorgone Méduse.

— La Gorgone Méduse?

— Cette femme qui a des serpents sur la tête, qui était si laide que quiconque la regardait était changé en pierre.

Je fais une croix sur toutes les sorties romantiques que j'ai rêvées et je demande :

— Est-ce que c'est le genre de film en trois dimensions où il faut porter des lunettes spéciales?

— Que tu es naïve! C'est un classique. Un grand classique avec plein de dieux et de déesses grecs terribles, sans parler d'effets spéciaux incroyables.

— Mais il n'y a pas de poursuite en voiture.

— Pas à cette époque-là.

Il éclate de rire.

Je prends plaisir à le regarder et je me dis pour la centième fois qu'il a vraiment un joli visage, presque beau même; ses petits défauts le rendent plus intéressant. Il sourit et mon coeur bat un peu plus vite.

Plus tard, vêtue d'un tricot rouge tout neuf et d'un vieux jean, je pénètre dans le Movie Movie au bras de Sam. Je me suis frisé les cheveux, maquillé les yeux et appliqué de l'eau de cologne soi-disant au parfum de passiflore mais qui, en fait, sent l'ananas passé. J'ai l'estomac noué tellement je suis excitée.

Sam doit l'être aussi. Il s'est lavé les cheveux et s'est mis un déodorant si fort qu'il neutralise l'odeur d'ananas. Il s'est tellement frotté le visage que sa peau est rose vif. À moins qu'il n'ait voulu raser une barbe inexistante. C'est difficile à dire.

— Tu veux du maïs soufflé? me demande-t-il.

— Je n'ai pas faim.

Tout ce que je veux, c'est être assise près de Sam. Il respire drôlement maintenant que nous sommes assis à cinquante centimètres à peine l'un de l'autre, ce que j'attribue à mon sex-appeal catégorie junior.

Laurence Olivier vient à peine d'apparaître à l'écran que quelqu'un me tape sur l'épaule.

— Je ne savais pas que tu allais venir ici ce soir, dit mon père.

— Et moi, je ne savais pas que *vous*…

— Bonsoir monsieur Garber, dit Sam.

— Salut, jeune homme. Content de vous revoir.

— Vous voulez venir à côté de nous?

J'écrase le pied de Sam le plus fort que je peux.

— Impossible, dit mon père en indiquant quatre rangées en arrière une blonde éblouissante. Elle nous fait signe en remuant les doigts comme une petite fille.

— Elle s'appelle Bethie, dit mon père. Nous habitons dans le même immeuble.

Sam lui fait un salut en lançant à mon père un regard approbateur.

— Elle est sensass, lui dit-il.

— Merci. Elle vient juste de divorcer. Voilà des mois qu'elle ne quitte pas son appartement, la pauvre, avec les auditions à la cour et tout le reste. J'ai décidé de lui offrir un répit.

Il sourit en bienfaiteur.

Poséidon, le dieu de la mer, vacille sur le grand écran. Des poissons passent en nageant à travers ses cheveux.

— À plus tard, les enfants. Bethie va penser que je l'ai abandonnée. Je ne voudrais pas qu'elle me croit comme les autres hommes.

Il va rejoindre la fille sensass. Je siffle à l'oreille de Sam :

— Il *est* comme les autres hommes.

Le quotient intellectuel de cette Bethie pourrait tenir dans un dé à coudre et il y resterait de la place, j'en suis certaine.

— Qu'est-ce que tu veux dire par là?

— Tu le sais très bien.

Mais Sam est en train de regarder le film. Vanessa Redgrave, en chemise de nuit blanche, fait de son mieux pour ressembler à une déesse grecque. Elle supplie Zeus d'épargner son fils, mais Laurence Olivier ne se laisse pas émouvoir. ''Ton fils ne vaut rien'', dit-il, ''je ne vais pas seulement le détruire, je vais le transformer en un monstre.''

— Elle est vraiment mal fagotée, cette Bethie, je trouve. On dirait une strip-teaseuse.

— Je voudrais bien, dit Sam.

— *De quel côté es-tu*? (Est-ce que ma mère n'a pas déjà dit cela?)

— Regardons le film.

Il soupire et passe un bras autour de mes épaules en mettant son doigt sur mes lèvres.

— C'est vraiment un grand beau film.

— Sam!

— Calme-toi. Nous leur dirons au revoir après et nous irons de notre côté. Je veux t'embrasser un peu avant de te ramener chez toi.

— S'il nous demande de les accompagner quelque part, tu lui réponds que non, dis-je frénétiquement.

— Je ne comprends pas que ta mère le haïsse encore, dit-il sans quitter l'écran des yeux. D'accord, il lui a fait du mal. Toi, tu ne le hais peut-être pas, mais ça ne te fait pas non plus très plaisir de le voir. Moi je dis : et alors? Toute cette histoire s'est passée il y a une éternité. Pourquoi est-ce que ta mère est encore toute bouleversée? Pourquoi est-ce que tu y penses tout le temps? Pourquoi ne dis-tu pas une bonne fois pour toutes à ce pauvre homme de s'en aller?... Ou alors, sois un peu gentille avec lui. Laisse-le t'offrir des petites choses de temps en temps.

Sa pression se fait plus forte sur mon épaule :

— *Cette soirée n'est pas importante pour toi*?

Je fais signe que oui de la tête.

— Alors, Molly, ne pense plus à tout ça. C'est ennuyeux comme la pluie. Il n'y a pas que ton père dans la vie.

Je me rapproche de Sam le plus possible, en imaginant le regard de William Garber dans mon dos.

Sur l'écran, la princesse Andromède dort dans une cage dorée.

# CHAPITRE QUATORZE

Le jour suivant, nous n'avons pas classe de toute la journée. Nous répétons la pièce. Madame Gianelli est pleine de nervosité. Elle marche de long en large. Elle s'est remise à fumer après avoir cessé quatre ans plus tôt. ''On ne sait jamais ce qui peut se passer le soir de la première, dit-elle. N'importe quoi peut aller de travers.''

Madame Gianelli n'a pas l'habitude de crier, mais pendant toute la matinée, elle n'arrête pas de s'égosiller comme un entraîneur sur un terrain de sport. Elle nous traite de tous les noms. Elle jure tout bas quand Sam oublie son texte, puis tout haut quand elle apprend qu'Espinoza a oublié son costume.

— Je savais que ça allait arriver, dit-elle.

Espinoza fait des bulles avec sa gomme à mâcher. Il vient de redécouvrir la gomme à mâcher et il en a toujours une pleine poche pour en offrir à tout le monde.

— Du calme, dit-il. Est-ce que quelqu'un veut de la gomme à mâcher?

— Un peu de sérieux! grince madame Gianelli.

— Au raisin, je n'en ai pas, dit Espinoza. Il plonge la main dans sa poche, banane, orange. Mais il faut que je vous prévienne, madame Gianelli, l'orange a plutôt le goût de l'aspirine pour bébé. Vous savez ces espèces de cachets d'aspirine qu'on donne à mâcher aux bébés?

— Vas-tu, oui ou non, aller chercher ton costume chez toi?

— Le problème, madame Gianelli, c'est que je ne me suis pas encore décidé pour le costume que j'allais porter. Vous comprenez? Et tout ce que je choisirais maintenant n'irait pas.

Nous allons déjeuner au Upper Crust, mais l'ambiance n'est pas très gaie. Nous nous taisons, crispés. Même Sam a l'air inquiet, lui qui est toujours parfait sur scène et qui possède une excellente mémoire. Il mâche vite et avale. Une fois qu'il a fini sa pointe de pizza, il dit :

— On va bien s'amuser, même si c'est raté.

— Le hic, c'est que les gens vont payer pour voir la pièce, dit madame Gianelli.

— On peut les rembourser, suggère Espinoza, en regardant si les autres n'ont rien laissé dans leur assiette. Est-ce que tu vas manger ces champignons?

— Oui, je vais les manger, dis-je.

— Tu as déjà assez de mal à rentrer dans ton jean comme cela. Et il me pique mes champignons. Je te l'ai déjà dit, Molly, que tu devrais t'habiller un peu mieux. Ça me déprime de voir les hanches que tu as.

— Nous prenons tous la chose trop au sérieux, dit Sam.

— Tu devrais défendre mes hanches. Non mais, quel toupet! Je m'habille encore au rayon fillettes.

— C'est bon, dit Sam.

Il se lève, va de l'autre côté de la table et dit en posant les mains sur mes épaules :

— Va faire un tour dehors, Espinoza.

— Tu rigoles? Je suis allergique à l'air frais. Ça va être ma mort, je vais tomber malade et me liquéfier sur le trottoir.

— Alors, retire ce que tu viens de dire sur ses hanches, dit Sam. Comme si Molly était un porc à l'engrais.

Espinoza grogne avec son nez. Un grognement étonnant. On dirait un vrai goret. Même madame Gianelli se déride un peu. Elle prend sa note, en riant et, par la suite, dans la journée, elle rit chaque fois qu'un membre de la troupe fait ce bruit.


Nous sommes enfin prêts pour le grand jour. Je sors de la salle de répétition avec Sam. Je cligne des yeux au soleil de quatre heures. Le Mur est désert. Des cannettes de coca et des mégots de cigarettes par terre autour des deux poubelles font un contraste horrible avec les montagnes.

— Regarde qui est là, dit Sam.

— Où?

— Là, fait Sam en pointant du doigt.

Je regarde dans la direction qu'il indique et je vois mon père. Il est assis dans sa Buick, en train de lire un magazine.

— Il veut sûrement te voir.

— Sûrement.

— J'avais envie d'aller en ville, dit Sam d'un air

contrarié.

— Nous pouvons y aller. Je vais lui dire de partir.

— Nous ne pouvons pas faire ça, le pauvre. Il est en train de fondre au soleil. Allons voir ce qu'il veut.

— Nous ne sommes pas obligés, tu sais.

Mais Sam m'attrape par le bras et me tire vers la Buick.

— Je vous emmène quelque part, propose mon père en levant les yeux de son magazine.

Il porte un jean et un t-shirt. On dirait un mammifère marin sans son habituel costume.

— Nous allions prendre un café, dis-je en montrant Sam.

— Écoute, je ne peux pas, fait Sam. Je ne voulais pas te le dire pour ne pas te faire de peine, mais il faut que j'étudie mon texte. Puisque ton père est là, on pourra faire ça un autre jour.

— Tu n'as pas besoin d'étudier ton texte. Tu as été très bien, aujourd'hui.

— Je dois travailler les nuances, dit-il en faisant signe à madame Gianelli et à Espinoza. Je pourrais revoir la scène III avec eux.

— Ça va être une fameuse pièce, dit mon père.

— C'est sûr, dit Sam. La première a lieu vendredi. Il faut absolument que vous veniez.

— Je pourrais venir. Je n'ai rien d'autre à faire.

— Amenez Bethie si vous voulez, dit Sam. Elle pourrait faire diversion si jamais ça tournait mal sur scène.

Je lance un regard furieux à Sam. Il se contente de sourire en haussant les épaules pour s'excuser.

Mon père rit et m'ouvre la porte. Je pousse un soupir et je m'assieds.

Entre nous deux, il y a un imperméable qui sent le neuf. Les étiquettes y sont encore cousues.

— Bel imperméable, dis-je.

Mon père a un petit sourire.

— Merci.

Je gigote pitoyablement sur mon siège.

— Vous feriez peut-être mieux de ne pas venir à la pièce.

Il change de vitesse, les yeux rivés sur la route, distant.

— Parce que… parce que ma mère ne viendrait pas. Je le sais. Ou alors, si elle venait, elle ne passerait pas un moment agréable, sachant qu'elle pourrait vous y rencontrer.

Il rit comme si c'était désopilant, mais ses yeux ne rient pas du tout.

— Vous pourriez venir à la répétition générale.

— C'est une bonne idée. Quand est-ce?

Je n'avais pas pensé qu'il accepterait de venir à la répétition générale. Je ne sais pas si madame Gianelli va le laisser venir.

— Ce serait peut-être aussi bien que vous veniez à la première.

Ma voix est soucieuse. On dirait que c'est la voix de quelqu'un d'autre.

— Ce serait bien. Je t'emmène chez toi?

Je fais signe que oui de la tête.

— Tu ne veux pas passer à mon appartement? Tu n'y

es jamais venue.

— Pas longtemps, dis-je rapidement. Dix minutes.

— Disons neuf, juste pour qu'il n'y ait pas de problème.

Je m'étire et je commence à me décontracter un peu. Il allume la radio. On passe de la musique country. Ma mère a horreur de ce genre de musique. Elle dit que ce n'est pas de la vraie musique. Mon père se met à fredonner tout bas une chanson où il est question d'une blonde perfide et d'un représentant de commerce. Il a l'air de beaucoup l'apprécier.

Nous montons vers les appartements Los Piñones, un immense ensemble qui comprend deux sections différentes : "Adultes seulement" et "Enfants autorisés". Il s'arrête devant l'immeuble "Adultes seulement" et il me fait signe de le suivre. Quand nous arrivons à l'appartement 807, il sort ses clefs et nous entrons.

Il y a beaucoup de meubles, mais ils ressemblent à des meubles d'hôtel. Tout est jaune, calculé pour avoir l'air plus accueillant que ça ne l'est en réalité.

— Est-ce que vous les avez loués?

— Tu veux parler des meubles?

— Oui.

— Tout est loué. Toutes mes affaires sont chez moi.

— Au Texas?

— Exact. Au Texas. Tu veux boire quelque chose?

— Qu'est-ce que vous avez?

— Du Perrier, de la bière.

Il sourit, puis dit :

— Je vais te servir un Perrier. Assieds-toi. Dis, tu

veux bien ouvrir les rideaux? L'obscurité est déprimante à cette heure de la journée.

C'est ce que je fais et j'ai la surprise de découvrir une vue splendide sur la montagne. La pièce paraît moins miteuse et déprimante qu'avant.

— Tu sais quoi, dit mon père, j'ai oublié mon imperméable dans la voiture. Est-ce que cela te dérangerait d'aller me le chercher? N'importe qui pourrait ouvrir la voiture et le prendre.

Quand je reviens, j'ouvre la porte de la penderie dans l'entrée pour y ranger l'imperméable. Mes yeux tombent sur des robes. Embarrassée, je range son imperméable dans la penderie et je referme vite la porte.

— Tiens, me dit mon père.

Il est juste derrière moi et il a un air amusé quand je sursaute.

— Bois ça. Ce n'est pas mauvais.

Je prends le Perrier et je me dirige vers le sofa, en essayant de ne pas penser aux robes. Mais il a dû lire dans mes pensées, car il dit :

— Personne n'habite ici avec moi, Molly.

— Ça ne me regarde pas, dis-je avec brusquerie.

Je bois une gorgée et je regarde mes pieds.

— Les robes sont pour toi. Vas-y, regarde encore. Ce sont des robes neuves. Je les ai achetées ce matin, en même temps que mon imperméable.

— Vous parlez sérieusement?

— L'employée les a choisies pour moi. J'ai essayé de lui décrire comment tu étais, ta taille, ton teint, etc. Si elles ne te vont pas ou si tu ne les aimes pas, tu peux les rapporter.

— Je ne peux pas les accepter.

— Mais bien sûr que si. Les adolescentes ont besoin de vêtements. Tu as de jolies choses, mais j'ai remarqué que tu mettais souvent les mêmes vêtements. Alors, pourquoi ne pas me dire tout simplement merci et te faire plaisir en les portant?

Je regarde ailleurs.

— Ta mère ne dira rien.

— Vous le lui avez demandé?

— Oui.

Il a soudain l'air très fatigué.

Je pose mon verre et je retourne à la penderie. Il y a là six robes, toutes d'une couleur différente, toutes de la bonne taille.

— Elles te plaisent?

— Beaucoup.

Je les prends l'une après l'autre, je les touche et je les tiens suspendues pour essayer de savoir quel effet elles auraient sur moi.

— Tu peux les essayer dans ma chambre.

Je me sens tout à coup mal à l'aise.

— Vous m'avez dit que nous ne resterions que dix minutes.

— En fait, j'ai dit neuf.

Il termine sa boisson, pose son verre et sourit.

— Eh bien, ce fut très agréable.

— Merci pour les robes.

— De rien.

— Je les essaierai à la maison.

— Préviens-moi si jamais tu dois en rapporter une.
Il consulte sa montre et se lève.

— Je peux te poser une question? dit-il.

— Bien sûr, dis-je en prenant les robes dans mes bras.

— Pourquoi Sam et toi n'êtes-vous pas venus me voir après le film? Nous aurions pu aller boire quelque chose. Cela aurait été sympa.

— En effet, mais nous nous sommes dit que vous aviez peut-être envie d'être seul avec cette femme.

— Avec Bethie?

— Oui. La blonde.

Sa bouche dessine un sourire.

— À l'avenir, laisse-moi organiser ma vie sociale tout seul. Être avec toi et Sam, parler un petit moment… ça prenait quoi, une demi-heure? Mais vous avez quitté bien vite le cinéma.

— Excusez-moi.

— Je ne te demande pas d'excuses. À propos. J'ai parlé de la voiture à ta mère. J'avais pensé qu'elle et Martin pourraient effectuer les versements si, de mon côté, je payais un accompte suffisamment important. Elle dit qu'ils ne peuvent pas. Alors, je lui ai dit que j'allais tout payer.

— Vous plaisantez?

Je sens le sol trembler.

— Je parle sérieusement. Ta mère m'a dit qu'elle allait y réfléchir, que cela soulevait des problèmes.

— Quels problèmes?

Je me vois en train d'agiter des clés de voiture devant le Mur, emmener les amis skier ou faire un pique-nique dans la montagne.

Mon père hausse les épaules et ouvre la porte.

— Demande-le-lui, suggère-t-il. Je n'ai jamais pu la comprendre tout à fait.

Une des robes reste prise dans la porte. Il la libère en poussant un soupir.

— Peut-être que toi tu pourras, dit-il.

Pendant tout le trajet, je regarde son visage, qui reflète une expression de désespoir. Pour la première fois depuis qu'il est venu à Santa Fe, je ressens une réelle tendresse pour lui. J'ai envie de tendre le bras pour presser sa main. Mais j'ai peur que mon geste soit mal interprété, qu'il soit relié à la voiture promise et que mon père le pense motivé par l'intérêt.

Comment traduire l'affection que j'éprouve? C'est un mystère que je ne peux pas résoudre. Alors, nous faisons le reste du chemin sans parler. Quand nous nous séparons, nous ne nous embrassons même pas.

# CHAPITRE QUINZE

— Je ne savais pas que tu aimais les robes, dit ma mère.

Elle regarde l'arc-en-ciel de robes qui s'étale sur mon lit et hausse imperceptiblement les épaules.

— Je pensais que les jeunes de ton âge portaient tous des jeans.

— C'est vrai, mais les filles portent aussi des robes de temps à autre.

— Tu aurais dû me dire que tu en voulais.

— Je n'en voulais pas. On me les a données. Maintenent que je les ai, elles me plaisent.

Elle se dirige vers mon bureau et s'assied sur la chaise, d'un air triste.

— Il y a beaucoup d'argent, là, sur ton lit.

— Combien, à ton avis?

— Trois cents, quatre cents dollars. Ce sont des robes de bonne qualité.

— Bon. J'en avais besoin.

— Martin et moi nous pouvons très bien t'habiller.

— Mais c'est fait. Il avait envie de m'offrir des robes. Tu devrais être contente? Cet argent peut servir à autre chose maintenant.

— Nous avons suffisamment d'argent, dit-elle

fermement.

— Mais pas une fortune. Tu n'arrêtes pas de me le répéter.

— Tu le lui as dit, à *lui*?

Je commence à pendre les robes. Pendant un moment, j'ai cru que ma mère allait les déchirer de ses propres mains ou m'obliger à les rapporter au magasin. Je pense que si elles sont hors de sa vue, j'ai plus de chance de les garder.

— Je ne lui ai pas du tout parlé de notre situation. J'ai pensé que c'était quelque chose de privé.

— Merci, dit ma mère. Ça l'est.

Le soleil en se déplaçant la frappe en pleine figure.

— Est-ce que je peux tirer les rideaux? demande-t-elle.

— Bien sûr.

Elle tend le bras en arrière et donne un coup sec et vigoureux. L'un des rideaux tombe et les livres qui sont sur mon bureau s'éparpillent au sol.

— Oh, zut, dit-elle.

Elle se met à quatre pattes pour les ramasser. Son visage est rouge.

— Laisse, je vais le faire.

— Excuse-moi. Je ne supporte pas les mères qui se comportent comme ça. Je m'étais promis d'être différente. Mais cela me tue qu'il t'offre des choses que moi je ne peux pas t'offrir.

— Une voiture?

Je regrette instantanément d'en avoir parlé.

— Ce n'est pas sur le même plan, dit-elle sur un ton

117

brusque. Une voiture, c'est une mauvaise idée, pour des raisons de sécurité. Nous en avons déjà discuté, Molly. N'y reviens plus!

— Mais il a dit qu'il était prêt à tout payer.

— S'il était prêt à t'acheter un fusil chargé, tu en voudrais aussi? crie-t-elle.

— Ne crie pas, je t'en prie, ne crie pas.

— Pourquoi ne s'en retourne-t-il pas au Texas?

Je suis sur le point de dire qu'il va y retourner mais, en fait, il ne me l'a jamais dit. Je ne sais même pas où je suis allée prendre cette idée qu'il y songeait; elle flotte dans l'air, peut-être.

— J'ai besoin d'une cigarette, dit ma mère.

Elle glisse sa main dans sa poche et la ressort vide. Alors, elle s'apprête à sortir de la chambre.

— Je peux garder les robes?

— Nous en parlerons au dîner. Pour l'instant, je dois aller retrouver Martin. Il pense acheter un nouveau lave-vaisselle.

— Pour ici ou pour le restaurant?

— Pour le restaurant, me lance-t-elle de loin. Oh, passe un coup de fil à Sam. Il a téléphoné il y a une demi-heure. Il voulait que tu le rappelles dès que tu rentrerais.

— Qu'est-ce qu'il voulait?

— C'est au sujet du soir de la première.

Elle disparaît en descendant vers l'entrée.

— Au sujet d'un billet supplémentaire, je pense.

Je ne rappelle pas Sam immédiatement. J'ouvre ma penderie et je regarde à nouveau les robes. Il y en a une en soie naturelle; une autre en coton beige pâle avec une collerette, qui tombe en faisant de légers plis; une autre verte. Je la mets. Ma tête passe difficilement. Le tissu craque en se froissant quand je l'enfile et remonte la fermeture Éclair. Je les caresse en me demandant : *Est-ce que ce cadeau est une preuve d'affection ou est-ce qu'il cache quelque chose?* Puis, je me dis que cela n'a pas d'importance. Après tout, une robe est une robe.

Je range les robes une deuxième fois et je remets mon jean. Sam téléphone. Je m'assieds sur mon lit, le téléphone tout contre moi. J'aime entendre la voix de Sam. Même en dehors de la scène, elle a une belle résonnance de basse profonde. On dirait toujours qu'elle va communiquer une bonne nouvelle.

— J'ai un billet pour ton père.

Il avait l'air profondément satisfait de lui.

— *Quoi?*

— J'ai un billet pour ton père, pour le soir de la première. Sur la même rangée que Martin et ta mère. C'est bien, non?

— C'est terrible. Ça pourrait déclencher une autre guerre civile. Ils pourraient s'entretuer!

— Ils vont tous parfaitement se conduire, pour te faire plaisir.

— Tu ne te rends pas compte de la situation, dis-je, un peu exaspérée.

Je lui raconte mon après-midi, les robes, la réaction de ma mère en les voyant et son veto catégorique au sujet de la voiture et aussi comment ma mère a été sur le point de s'étrangler en parlant de mon père.

— Alors, tu vois, je ne peux pas dire à mon père que

tu as un billet pour lui. Mais c'était gentil de ta part, Sam. Vraiment.

— Je ne vois pas pourquoi ton père ne peut pas venir.

— Mais je viens de te l'expliquer!

— Tu m'as dit que tes trois parents ne s'aimaient pas. Tu ne m'as pas dit pourquoi ils ne pouvaient pas aller à la même représentation. Ton père existe, Molly. C'est un fait que tout le monde doit accepter.

— Ça va être terrible.

— Ça va être magnifique. Ils vont se sentir si fiers de toi, si orgueilleux. Et peut-être qu'après ils vont aller prendre un verre tous ensemble.

— Ou boire du vinaigre!

— Tu verras. Tout va bien se passer. Tu ne veux pas qu'ils y soient tous, Molly, à cette soirée?

— Oui, mais je ne vois pas de solution. C'est une merveilleuse utopie, comme le jardin de l'Éden. Mais il va y avoir un serpent quelque part, Sam.

— Il n'y aura pas de serpent.

Je peux le voir sourire.

— *Comment* vas-tu t'y prendre pour faire asseoir mon père et ma mère sur la même rangée, A, et B : Est-ce que c'est vraiment une bonne idée?

— C'est une bonne idée. Tu commences toujours à réciter l'alphabet quand tu es inquiète. On te l'a déjà dit?

— Comment vas-tu te débrouiller?

Il glousse un bon moment, puis il me dit :

— Rien de plus facile. Martin s'assied entre les deux. Martin est un gentleman et il est diplomate, exact? Il va les faire manger dans sa main. Vois-tu, Molly, si ton père est dans les parages, il va falloir que tout le monde s'y habitue.

C'est tellement vrai, mais cela me semble impossible.

# CHAPITRE SEIZE

C'est comme ça que les choses se seraient résolues au théâtre. La mère et le beau-père bien-aimés embrasseraient le père biologique et ils iraient tranquillement tous ensemble voir jouer leur fille. Une fin heureuse, bête, avec le petit ami qui est là, lui aussi. Je n'aime pas les histoires qui finissent comme ça dans les livres. C'est tellement banal et facile à prévoir. Mais c'est la seule fin que je souhaite en ce qui concerne ma famille, Sam et moi. Ma vie a été assez mouvementée jusqu'à présent. Maintenant, j'aspire au calme, à l'ordre, à la paix. Je ne veux plus que personne se haïsse pendant les cent prochaines années au moins.

Je ne trouve plus mon père abominable. Je lui en veux toujours de ne pas m'avoir téléphoné ni rendu visite pendant toutes ces années. Mais je ne réagis pas aussi violemment que ma mère. C'est sa guerre avec lui. Je ne veux pas y jouer les soldats.

J'ai envie de lui dire : *Calme-toi. Il essaie de se racheter. Il est venu, non? Tard, mais il est venu.*

Mon pauvre père qui a acheté toutes ces robes colorées dans un magasin qu'il ne connaît pas. J'ai envie de lui dire : Tu peux rentrer chez toi, maintenant. Je ne suis plus fâchée contre toi. Je t'ai vu et je t'aime bien, mais tu n'es pas vraiment mon *père* parce que tu ne t'es jamais vraiment occupé de moi. Tu y as renoncé il y a longtemps.

Mais pourrait-il entendre cela sans devenir fou?

C'est alors que je me rends compte que je n'ai pas grand-chose à voir avec le fait qu'il soit à Santa Fe. Je ne suis pas Molly pour lui. Je suis juste la gamine, une erreur qu'il veut réparer avant qu'il ne soit trop tard. Cette découverte me laisse indifférente. Je ressens juste une sorte d'illumination, car je comprends finalement ce qui avait été insondable jusqu'à maintenant.

Sam continue à insister pour que je les invite tous les trois à voir la pièce. Il en fait une espèce de Croisade. Je finis par me dire que malgré sa simplicité ahurissante son plan pourrait fonctionner. Mon père n'attend que l'occasion de prouver qu'il est un brave homme, meilleur joueur que maman ou que Martin. Et eux deux viendront parce qu'ils m'aiment et que pour rien au monde ils ne manqueraient de venir me voir dans *Notre ville*, même s'ils devaient pour cela traverser un cordon de piquets de grève.

Je ne parviens pas cependant à imaginer l'issue. Ils ne s'aimeraient pas pour autant. Ils continueraient à se combattre; c'est comme un sport pour eux. Ils n'y renonceraient certainement pas.

— Ça relâchera la tension, dit Sam. Et, crois-moi, ce sera une bonne chose. J'en ai assez de te voir te conduire comme une bougie qui vacille sur le point de s'éteindre.

— Je ne savais pas que je me conduisais comme ça,

dis-je entre mes dents pour camoufler mon irritation.

— Tu es une femme *extrêmement* nerveuse.

Et nous rions, bien qu'il n'y ait pas de quoi.

Sam m'emmène encore au cinéma, pour voir une histoire d'amour cette fois. Je dois admettre qu'il a raison; ce n'est pas aussi bon que les dieux et les déesses qui se manipulent, semant le désordre sur terre. C'est horrible. Il s'agit d'une fille qui est infirme et qui guérit en tombant amoureuse d'un garçon. Elle l'aime tant qu'elle se lève de son fauteuil roulant, marche et devient une adolescente comme les autres. Je ne peux pas m'empêcher de penser qu'une chose pareille est bien improbable et que la fille était plus intéressante quand elle était infirme, qu'après.

— La prochaine fois, c'est moi qui choisis, dit Sam en sortant du cinéma, de l'air d'un homme qui vient de prouver qu'il a un jugement absolument sûr.

— Toutes les histoires d'amour ne sont pas aussi mauvaises.

— Mais si, dit-il fermement.

— Mais non!

— Cite-m'en une bonne.

Je réfléchis un moment, puis :

— *Roméo et Juliette*?

— Cite-m'en une qui ne soit pas de Shakespeare.

— *Love Story*, dis-je en pensant à ce vieux succès avec Ali MacGraw et Ryan O'Neal.

— La fille est malade, elle aussi, dans ce film. Et dans *Roméo et Juliette*, non seulement Juliette tombe malade mais, en plus, elle meurt.

124

— Quelqu'un devrait écrire une histoire d'amour entre deux personnes pas compliquées, dis-je.

— Une histoire sur nous, dit Sam doucement.

— Parce que tu trouves que nous ne sommes pas compliqués?

— Nous pourrions ne pas l'être. Nous les jeunes, nous ne sommes pas des gens compliqués. Ce sont les parents qui compliquent les choses.

— Peut-être que nous les y aidons.

— Peut-être.

Nous sommes encore dans le hall du cinéma. Il glisse son bras autour de moi. Je sens comme une seconde peau qui m'appartiendrait.

— Je pense souvent à ce que sera le monde quand nous aurons leur âge, dit-il soudain.

— Tu crois qu'il sera différent?

— Meilleur. Je pense qu'il sera bien meilleur.

— Si le monde existe encore.

— Il existera.

Il me sourit, m'attire vers lui et m'embrasse sur la bouche, devant une douzaine de personnes qui font la queue pour la deuxième séance.

— Ça par exemple! fait une dame âgée.

— Vous pensez que ce n'était pas bien, mesdames et messieurs? dit Sam. Regardez maintenant.

Et il m'embrasse à nouveau, en m'entourant de ses bras et en me renversant en arrière. J'ai l'air d'une danseuse de calypso dans une revue musicale.

— Je vous aime, madame Pavlova, murmure-t-il.

— Tu es fou?

— Je suis fou, reconnaît-il. Je suis fou de toi. Dis-moi tous tes secrets. Ils mourront avec moi, je te le promets.

— Laisse-moi simplement me relever, Sam. Tu es en train de me rompre les vertèbres.

Il murmure à mon oreille, rien que des sons, pas des mots, qui me font hurler de rire.

— De mon temps, dit la dame âgée, on aurait tué deux enfants qui se seraient comportés aussi honteusement.

Sam me tire par la main en souriant et m'entraîne, à travers le parc de stationnement bondé, à la voiture de ses parents qu'il doit leur rendre à dix heures sans faute. Nous nous tenons l'un contre l'autre sur le siège avant. Sam murmure :

— Ne t'en fais pas, Mol, tout va bien se passer.

Mais j'en doute.

# CHAPITRE DIX-SEPT

Le lendemain, c'est samedi. Je prends un thé chaud dans le jardin arrière. On entend des coups de marteau à cinq cents mètres. Une maison est en construction.

J'entends maman et Martin s'interpeller tandis que le téléphone sonne.

— Tu réponds?

— Je n'entends pas ce que tu dis, je suis sous la douche.

*Drrrrrring, drrrrrring.*

L'eau ne coule plus. Martin répond au téléphone. À quelques centimètres de moi, un couple de merles fouille du bec dans le maïs éparpillé.

— Regarde ce que j'ai trouvé.

Je sursaute. William Garber s'était approché sans bruit derrière moi, en poussant une bicyclette à dix vitesses. Il porte un casque et des gants de cycliste, des gants en cuir avec le pouce coupé, ceux qui sont chers.

— Elle est à vous?

Il fait non de la tête.

— À toi.

— Mais j'en ai une!

— Elle est vieille, non?

— Oui, elle est vieille.

— Alors, tiens.

En haletant un peu, il roule la bicyclette vers moi.

— Essaie-la pour voir comment tu la sens.

Je regarde par-dessus mon épaule dans la maison.

— Est-ce que ma mère sait que vous êtes là?

Il hausse les épaules.

— Non. Je ne vais pas rester.

J'appréhende un affrontement. Je suggère :

— Vous voulez bien aller par devant? Nous y serons plus tranquilles.

— Certainement.

Il marche à côté de moi. Il enlève ses gants de luxe, son casque tout neuf.

— Tiens, c'est pour toi. Ça va avec la bicyclette.

— Je ne sais pas comment je vais expliquer…

— Dis que ton père t'a fait un cadeau, coupe-t-il. Ils ne veulent pas que tu aies une voiture. D'accord. Mais je ne vais pas leur demander la permission pour t'offrir une bicyclette, non? Prends-la, c'est tout, Molly, d'accord?

— D'accord, dis-je en souriant.

Je mets le casque et les gants. Puis, je monte sur la bicyclette et je fais un faux départ. C'est une bicyclette avec un guidon retourné, alors il faut que je me penche. Au deuxième essai, j'y arrive et je file sur la route.

— Bravo! crie mon père du jardin devant la maison.

Je fais un virage en dérapant, je gare la bicy-clette dans l'allée et je le rejoins.

— Elle est sensationnelle, cette bicyclette, dis-je.

— Je l'espère bien. Elle m'a coûté assez cher.

— Alors, vous n'auriez pas dû l'acheter.

Il hausse les épaules.

— C'est bien une dix vitesses pour grimper les côtes. Apprends à les passer, ensuite ça devien-dra machinal. Elles ne sont pas tellement diffé-rentes de celles auxquelles tu es habituée.

— Elles sont un peu plus dures.

— C'est parce que la bicyclette est neuve.

Nous bavardons comme de vieilles connaissan-ces qui rattrapent le temps perdu. Je me dis que c'est tout de même plus agréable de me sentir enfin à l'aise en sa compagnie.

— Vous pourriez peut-être entrer un moment, dis-je en hésitant.

Il regarde la maison d'un air circonspect.

— Je pense que non.

— Je vais demander.

Je me rappelle les paroles de Sam. *Ton père existe.*

— Non. Ta mère pourrait... oh, je ne sais pas ce qu'elle pourrait penser. Reste plutôt dehors une minute encore, tu veux bien?

— Bien sûr. La bicyclette neuve brille au soleil.

Mon père se balance d'un pied sur l'autre, comme s'il était en train de s'échauffer en vue d'un exercice.

— Vous avez mal aux jambes?

— Non. Pas du tout.

— Je croyais...

— Écoute, il faut que je te dise...

Il hésite une minute.

— Il faut que vous me disiez quoi?

Les coups de marteau cessent au loin.

— Oh, flûte. Il n'y a pas trente-six façons de le dire, fait-il.

— Vous allez vous remariez?

Je pense à Bethie.

— Non, dit-il avec un petit rire bref.

— Alors?

Il fait craquer ses doigts.

— Je déménage à Houston.

— Houston, au Texas?

— Évidemment. Pas Houston en Arkansas.

— Ni Houston, au Nouveau Mexique, dis-je doucement.

Il me donne un coup de poing sur un bras, comme il l'aurait fait tout le temps si j'avais été son fils. C'est un coup de poing affectueux, comme s'en donnent les sportifs quand ils veulent se témoigner leur amitié.

— Non, dit-il tranquillement, en pétrissant son poing. Je regrette, ce n'est pas ici au Nouveau Mexique. Est-ce que cela t'étonne?

— Pas vraiment.

En fait, je m'y attends depuis notre deuxième

ou troisième rencontre.

— C'est que je dois continuer à vivre ma vie, Molly, dit-il avec un petit sourire. Et je dois te laisser vivre la tienne.

— Vous auriez dû venir ici plus tôt. Il était encore temps.

Au loin, des oiseaux volent vers le nord en formation. Je les regarde jusqu'à ce qu'ils ne soient plus qu'un point dans le ciel.

— Vous allez venir voir la pièce?

— Si tu penses que c'est une bonne idée.

— Je le pense.

— Alors, je viendrai.

— C'est à huit heures. Mais il faudrait arriver un petit peu avant.

— Est-ce que tu vas le dire à ta mère?

— Oui. Naturellement.

Il fait des petits mouvements d'échauffement.

— Tu sais pourquoi ta mère est si rude avec moi? dit-il tout à coup. Pourquoi nous ne pouvons pas nous entendre?

— Pourquoi?

— Parce que nous avons vraiment été amoureux l'un de l'autre. Quand deux personnes se sont aimées comme nous nous sommes aimés, il y a plus de chance qu'elles se haïssent par la suite, au lieu d'être indifférentes l'une envers l'autre.

Mes cheveux se dressent sur ma nuque.

— Vous l'aimez encore, n'est-ce pas?

Il baisse les yeux et se regarde les mains.

— Vous l'aimez encore!

— Qui sait, dit-il sans sourire. De toute façon, une fois que quelque chose a été détruit ainsi, il n'y a pas de retour en arrière possible. Tu comprends?

Le vent agite l'herbe de la pelouse et nous fait frissonner.

— Je comprends.

Je le regarde partir silencieusement.

Je pense à Sam. Pourrais-je jamais le haïr, *lui*? Cela me semble impossible.

Je suis déprimée pendant tout le restant de la journée.

Au crépuscule, Sam et moi, nous descendons à pied au Canyon Park pour voir les joueurs de frisbee se préparer en vue de leur tournoi. Ce sont pour la plupart des écoliers du primaire; ils portent le t-shirt de leur école et leur visage est sérieux. Ils lancent leur disque sans ordre donné puis ils se précipitent pour le récupérer quand il tombe. Deux mères sont assises à une table de pique-nique proche. Elles les encouragent en criant leur nom.

— Je n'ai pas su comment me comporter avec lui, Sam.

— Comment aurais-tu pu y arriver en si peu de temps?

Nous trouvons un petit coin sur la colline et nous nous asseyons. Un frisbee nous frôle de quelques centimètres. En un rien de temps, une petite fille aux yeux noirs accourt pour le récupérer.

— Pardon, dit-elle tout essoufflée, puis, elle se sauve à toutes jambes.

Sam arrache une herbe et la suce d'un air songeur.

— Alors, tes parents viennent toujours voir *Notre ville* ?

— Je crois que oui.

— Pas de grosses crises?

— Juste une petite, dis-je en soupirant.

Un peu plus tôt dans l'après-midi, il y a eu des mots au sujet de la bicyclette. Puis des pleurs, des excuses, puis un soulagement à peine dissimulé à l'annonce que William Garber partait.

— Il pourrait revenir, dit Sam comme s'il avait lu dans mes pensées.

— Je sais.

— Mais juste pour te rendre une visite, je pense.

Je creuse un trou dans la terre humide avec mon doigt.

— Je le pense aussi.

— En tout cas, ta mère ne t'a jamais présenté d'ultimatum du genre : c'est lui ou moi.

— Elle est trop maligne. Elle me connaît bien.

Sam lève un sourcil interrogateur.

— J'aurais été capable de quitter Santa Fe, tu sais.

— Allons donc.

Sam me prend la main et la serre. Les joueurs de frisbee commencent à plier bagages.

— S'il s'était agi d'une épreuve de force, tu serais restée ici.

— Tu crois?

— Oui. C'est ta mère qui a été avec toi le plus longtemps.

— Et Martin.

Je pense à eux, là-haut, au Chile House. Martin doit être en train d'inspecter les verres en écoutant une partie de base-ball. Ma mère doit placer des petits bouquets sur les tables, s'agiter ici et là, probablement en pensant à moi.

— Tu avais raison, dis-je. Je devais accepter le fait que mon père existe... et je l'accepte.

— Viens, Molly.

Je m'approche et je reçois un long baiser de cinq minutes et quelques.

— Tu es merveilleuse, et c'est si joli, ici, dit-il enfin d'un air rêveur. Je pourrais y passer l'éternité.

Mais il déplie ses longues jambes et m'aide à me remettre debout. Puis, nous marchons vers le Chile House pour jeter un coup d'oeil aux clients et boire quelque chose de frais.

# CHAPITRE DIX-HUIT

Je pensais que mon père allait m'appeler une ou deux fois avant la pièce, mais cela n'a pas été le cas. Il devait faire ses préparatifs pour partir à Houston et des plans de dernière minute. Ou bien il accélérait sa campagne en vue de conquérir Bethie.

Un jour qu'elle était particulièrement fâchée contre lui, ma mère m'a dit que mon père avait toujours besoin d'une femme à ses côtés, peu importait qui. D'après elle, elles étaient toutes interchangeables.

J'avais souri; cela n'avait pas beaucoup de sens. J'ai commencé à me rendre compte que mon père était un homme bien seul.

Cela ne m'inquiète pas qu'il aille à Houston tout seul; je sais qu'il va se faire très vite des amis. Il est comme ça. Il aime bien avoir des gens autour de lui.

Je me dis que la prochaine fois qu'il viendra faire un tour, il sera marié avec une femme qui aura des enfants. Ou bien il va épouser une jeune de vingt ans et avoir d'autres enfants. Est-ce que cela m'affecterait?

La répétition générale se passe très bien. Personne ne sabote son texte. L'éclairage est bon, le maquillage appliqué d'une main moins généreuse. Ma robe craque avec sa doublure neuve, mais pas assez pour qu'on risque de l'entendre. Je me rappelle tous les gestes que je dois faire, mais je ne parle pas assez fort.

Madame Gianelli va et vient devant les lumières de la rampe et crie :

— Plus fort, Molly, plus fort. On ne va pas t'entendre dans les dernières rangées.

— Je parle le plus fort que je peux.

— Mais non.

— Si.

— Reprends. Regarde Sam et dis-lui que tu te réjouis qu'il ne quitte pas Grover's Corners.

— *Je me réjouis que tu ne quittes pas Grover's Corners*, dis-je à pleins poumons.

— Tu te crois maligne? dit madame Gianelli.

Elle a une cigarette aux lèvres mais elle en allume une autre et la tient dans sa main libre.


Puis, c'est le soir de la première.

Quand quelque chose d'important va se passer, mon humeur s'en ressent : un examen, un dîner avec mon père, *Notre ville*. Je sais que je suis fin prête. Pas de problème de ce côté, mais je me sens comme quand on a attrapé un très mauvais virus, qu'on vomit et qu'il ne reste plus rien dans l'estomac.

Maman et Martin me conduisent à l'école. Ils se sont donné congé et ils ont l'air heureux mais tendus. Par deux fois, maman m'arrange les cheveux.

— Tu es très jolie.

Je l'embrasse.

— C'est vrai. N'est-ce pas qu'elle est jolie, Martin?

— Elle est belle, dit Martin.

— Le blanc est ta couleur, je pense.

— Le blanc est une couleur?

— Prends trois inspirations profondes avant d'entrer en scène, dit Martin, et ne regarde pas les gens dans la salle. Cela te rendrait nerveuse. Louche simplement de leur côté. Tu vas les voir flous.

— Je ne peux pas loucher, j'aurais l'air ridicule.

— Louche, me conseille-t-il sérieusement. C'est la meilleure façon.

Je les regarde s'éloigner. Ils ont mis leurs beaux vêtements. Ma mère porte une robe ivoire. Elle a des peignes en écaille de tortue dans les cheveux et des bracelets d'argent au bras. Martin porte un costume finement rayé. À côté de maman qui a l'air d'une princesse du désert, il fait très homme d'affaires. Ils sont très tendres l'un pour l'autre tandis qu'ils gagnent leurs sièges. Maman se tamponne les yeux avec son mouchoir. Martin lui tapote l'épaule et la mène à son fauteuil, qui est situé à l'avant, au centre.

Je ne vois mon père nulle part.

— Son siège est à côté de celui de Martin, me rappelle Sam.

— Alors, il est en retard.

— Mais non. Il reste encore un quart d'heure.

— Il ne viendra pas.

— Il t'a téléphoné?

— Non.

— Alors, pourquoi dis-tu ça?

Je ne sais pas. J'ai une vision soudaine : il prend sa voiture et roule vers le Texas le soir de ma première. Le comble de l'ironie. Je ne compte pas pour lui. Je suis insignifiante, négligeable.

Martin se penche pour ramasser un programme par terre.

— Viens, dit Sam. Ça va être à nous dans une minute. Madame Gianelli va devenir hystérique si elle ne te voit pas.

J'emboîte le pas à Sam, qui est grandi par l'excitation. Ses mouvements sont courts et hachés, électrifiés.

— Prête? demande-t-il.

— Tout ce qu'il y a de prête.

Avant que le rideau ne se lève, il se penche et me serre dans ses bras, une étreinte nerveuse, distraite.

— Bonne chance.

— Bonne chance, lui dis-je en retour et en l'embrassant.

138

L'acte I se déroule on ne peut mieux. Nos voix me semblent artificielles, un peu haut perchées et fortes. Mais je sais, parce que je suis allée au Festival de théâtre pendant l'été, que même les acteurs professionnels ont la voix comme ça.

Le théâtre n'est pas plein mais presque. Il fait trop sombre pour voir si mon père est là, mais la première rangée présente des lignes ininterrompues de genoux. Je me dis qu'il doit être là puisque son siège n'est pas vide.

Puis, c'est l'entracte et je le vois.

Il tient son programme comme s'il s'agisssait d'une bouée de sauvetage, les yeux baissés vers ses chaussures. Il ne regarde pas la scène ni Martin qui est en train de parler à ma mère. Il porte le costume que je lui ai souvent vu et des chaussures nouvellement cirées. Il est allé chez le coiffeur. Sa coupe lui alourdit les sourcils. On dirait qu'il aimerait bien que le spectacle continue, probablement pour être dans l'obscurité. Je le regarde encore une minute. Puis, je laisse retomber le rideau et je me dirige vers les coulisses où tout le monde est en train de boire une boisson et de faire des critiques.

— Comment j'étais? demande Sam en me tendant une cannette.

— Magnifique. Tu le sais que tu es magnifique.

— C'est toi qui étais magnifique.

— Vous avez été moches tous les deux, dit Espinoza, en souriant. Vous savez ce qui vous manque?

— Quoi, dit Sam, résigné.

— Vous avez besoin d'apprendre à vous cha-mailler un peu. Toute cette, il cherche le mot juste, cette *harmonie* me donne l'urticaire. Ça contra-rie ma digestion.

— Quand vas-tu savoir te comporter en société, Espinoza? demande madame Gianelli qui a entendu par hasard.

— Jamais.

— Pourquoi?

— Parce que les femmes m'empêchent de me concentrer.

— Parce que tu te concentres? dit Sam.

Toute la troupe rit à en avoir le hoquet. Espi-noza le prend relativement bien. Il veut verser sa boisson sur la tête de Sam mais sa cannette est vide. Il se contente de hausser les épaules.

— Ton père est là? me demande Sam.

— Oui.

— Pas de carnage? demande Sam gentiment.

— Pas encore. Ils se conduisent en gens civili-sés. Ils se conduisent très bien.

— Alors, ce sont de meilleurs acteurs que nous.

Il a un sourire encourageant, mais un peu forcé à mon avis. Je commence à le connaître suffisam-ment pour savoir quand il pense ou ne pense pas ce qu'il dit.

Le reste de la pièce se déroule encore mieux. Sam et moi nous ne faisons qu'un avec notre personnage. L'éclairage fonctionne bien, la salle se réchauffe. Je me sens bien et, quand tout est fini, je pleure. Tout ce travail, tout le plaisir que nous avons eu, tout cela est fini.

La troupe doit se retrouver après pour fêter ça. Sam a emprunté la voiture de ses parents et il me promet de passer me prendre dans une demi-heure.

— On peut aussi y aller maintenant, dit-il, en costume de scène.

Il me donne une chance d'éviter mes *trois* parents, malgré toutes ses belles paroles antérieures.

— Je préférerais être en jean.

Il hoche la tête et me presse l'épaule.

— Je te conduis chez toi?

— Je peux y aller avec mes parents.

— À dans une demi-heure, alors.

Il se penche et m'embrasse, en me serrant l'épaule dans un geste rassurant.

Je me tourne vers la salle pleine de gens, en me demandant si mon père est déjà parti.

— À dans une demi-heure, Sam.

Puis, j'ouvre les rideaux et je me retrouve face à mes trois parents!

# CHAPITRE DIX-NEUF

Incroyable mais vrai! Martin invite mon père à venir prendre quelque chose à la maison en attendant que Sam arrive. Martin lui propose de monter en voiture avec eux. Et mon père accepte. Il n'a plus sa voiture. Il a déjà trouvé un étudiant pour la lui ramener à Houston. Il va prendre l'avion demain.

C'est à ce moment que j'arrive. Pendant que les deux hommes échafaudent leurs plans sans tact aucun, ma mère lutte pour cacher sa désapprobation.

— Tu ne vas pas rester longtemps, dit-elle à mon père, si ton avion part de bonne heure.

— J'ai dit que mon avion partait de bonne heure? Il ne décolle qu'à dix heures.

— Mais tu dois enregistrer les bagages au moins une heure et demie avant.

— On m'a dit d'arriver quarante-cinq minutes à l'avance.

— Voici Molly, dit ma mère. N'est-ce pas qu'elle a été magnifique? Tu as été tout simplement magnifique!

— La petite a du talent, acquiesce mon père.

— ''La petite''. Elle a un nom, tu sais, dit ma mère, en se tournant vers moi et en me prenant par le bras.

— *Ah! oui?* fait mon père en riant.

— J'ai oublié mon texte, dis-je, ennuyée.

— Et alors? dit mon père. Tu n'en as plus besoin, maintenant.

— Je dois payer une amende si je le perds.

— Va le chercher, dit Martin en me poussant.

Nous nous engouffrons tous dans la voiture et nous nous arrêtons devant un magasin pour acheter une bouteille. Les voitures passent à toute vitesse. Un vendeur du journal *The New Mexican* ouvre le distributeur payant, y glisse la dernière édition, puis le referme.

— Tu veux un journal? demande ma mère doucement. Tu sais, toute la troupe a été formidable. Vous avez présenté un spectacle superbe.

Martin et mon père restent un bon moment dans le magasin.

— C'est bizarre de penser qu'ils sont en train de faire des courses ensemble, dis-je en m'appuyant sur le siège en tissu.

— Si *toi* tu trouves que c'est bizarre...

Puis, ma mère devient très silencieuse. Elle tiraille sa jupe avec ses ongles vernis et garde les yeux rivés sur la radio de la voiture.

Ils finissent par ressortir. Ils sont en train de rire à propos de quelque chose, mais ils cessent en entrant dans la voiture. Mon père s'assied à côté de moi et me tapote l'épaule de temps en temps, tandis que Martin conduit sans desserrer les dents jusqu'à la maison.

C'est le printemps mais il fait assez froid pour allumer le feu et j'en prépare un, en plaçant du papier journal et en glissant des allumettes là où il faut entre les bûches. Martin mélange des boissons derrière le bar et lève un verre pour saluer le feu qui prend dans un éclatement de flammes.

— Tu ferais mieux de te préparer, me dit ma mère.

— Je sais ce que je vais mettre.

— Je sais, fait-elle en acceptant un verre. Mais nous nous sommes arrêtés dix bonnes minutes. Il ne faudrait pas faire attendre Sam trop longtemps.

— À l'époque où nous sortions ensemble, dit mon père, c'était exactement le contraire, tu te rappelles? Les filles faisaient attendre les garçons le plus longtemps possible, continue-t-il en prenant un verre et en s'asseyant d'un mouvement preste dans le fauteuil favori de Martin. À moins que cela n'ait été une habitude à toi.

— Molly, prépare-toi, me supplie ma mère.

L'air mauvais, Martin s'assied par terre près du feu.

Je vais dans ma chambre et je m'applique sur le visage de la crème à démaquiller au concombre. Elle sent le concombre et elle est efficace. En trois minutes, je m'enlève de quoi remplir

144

deux petits pots de fond de teint. J'allume ma radio en espérant entendre de la musique mais c'est l'heure des informations. J'enfile mon jean et un nouveau tricot en points de torsade que ma mère m'a acheté spécialement pour la fête. Il me va comme un gant.

J'éteins la radio et je m'assieds en attendant Sam tranquillement.

Les muscles de mon estomac se contractent quand mes oreilles enregistrent les bruits du salon au rez-de-chaussée. Ce n'est pas Sam. Ce n'est pas le bruit d'une porte de voiture. Ce sont des grognements, des voix d'adultes en colère qui s'entrechoquent. *Encore*, me dis-je en soupirant.

Je me tourne pleine d'espoir vers la fenêtre de ma chambre, mais je ne vois pas de lumières de phares. La rue est plongée dans l'obscurité. Je songe à appeler Sam et je prends le téléphone, mais je ne vais pas plus loin.

Les voix, dans le salon, sont encore plus fortes. Et, soudain, retentissent des mots grossiers puis un bruit de verre brisé.

# CHAPITRE VINGT

J'ai d'abord envie de rester dans ma chambre, de ne pas aller voir ce qui s'est passé. Mais à la fin, je me décide. Je prends mon porte-monnaie et j'avance comme si quelqu'un était en train de me tirer, en me disant tout bas : *Sam, viens vite*.

Mon père a lancé son verre vide contre la cheminée. Il a un visage grimaçant. Il est très très rouge. Ma mère, assise à sa place habituelle sur le sofa, semble prête à le tuer. Et Martin a l'air fatigué, dégoûté de tout.

Je regarde ma mère à nouveau et je remarque que ses mains tremblent.

— Tu es venu ici pour l'acheter avec des *clés de voiture* , dit-elle. J'ai lutté pendant seize ans pour l'élever et tu t'imagines que tu vas l'acheter comme ça!

— *C'est aussi ma fille!* crie mon père.

Il y a des éclats de verre devant lui : il les repousse d'un violent coup de pied.

— Je pense que la situation nous échappe, dit Martin.

— Ce n'est pas parce que tu l'as élevée

qu'elle est à toi pour la vie, continue mon père.

— Molly ne se laisse pas facilement mener par le bout du nez.

— Et c'est tant mieux, dit Martin, sèchement.

Il me regarde droit dans les yeux.

Mon père et ma mère se retournent lentement pour me regarder dans l'encadrement de la porte. Ma mère se mord les lèvres avant de détourner ses yeux.

Mais le visage de mon père s'illumine. Il vient vers moi et me prend le menton. L'espace d'un instant, j'ai l'impression que je vais me noyer dans ses yeux noisette qui me fixent.

— Je suis venu ici pour te demander de venir habiter avec moi, dit-il.

Il est calme, comme si l'incident du verre brisé n'avait pas eu lieu. Je sens mes cheveux se dresser dans mon cou : il me lâche le menton.

— Avant, je n'avais pas le courage de le faire, mais maintenant oui. Pendant tout ce temps, tu as vécu avec ta mère. Je n'étais pas en mesure de te demander de venir habiter avec moi. Ou peut-être que si. Ne me regarde pas comme ça, mon petit! Peut-être que j'aurais pu le faire. Mais maintenant, oui, je te le demande. Voudrais-tu essayer? Voudrais-tu venir à Houston et faire un peu connaissance avec ton père?

Il règne dans la pièce un silence lourd.

Ma mère pose ses mains sur sa bouche. Mais elle ne pleure pas. Martin sacre tout bas, puis il se tourne vers le feu.

Ils ne cherchent pas à le faire taire. Nous allons devoir nous débrouiller tout seuls mon père et moi.

— Viendras-tu? répète mon père.

*Ah! Sam, viens vite.*

— Tu devrais sortir un peu de Santa Fe, juste pendant un certain temps. Quelles occasions s'offrent à toi, ici? Le marché est tranquille, tu ne peux pas faire beaucoup d'argent...

— Non, dis-je.

Je me répète tout bas : Sois franche.

Il me regarde bizarrement.

— Non?

— Je ne peux pas laisser maman et Martin. Vous comprenez? Ce sont mes *parents*.

Si je lui avais donné un coup de couteau, son visage n'aurait pas exprimé plus de douleur.

— Je les aime.

Je continue aveuglément, en m'efforçant de ne pas avoir une voix hésitante ni l'air bête.

— Avec vous, je ne suis pas sûre. Peut-être qu'un jour je vous aimerai. Mais Martin, maman et moi, nous formons une famille, vous comprenez? Tous les trois. Vous aussi vous avez eu une famille, vous aussi vous avez eu cette chance. Mais…

— Mais? dit-il son regard sondant le mien.

— Mais vous êtes parti.

J'allais ajouter autre chose, mais je m'aperçois soudain que c'est assez. Je ne veux pas lui faire davantage de mal. Et je ne veux pas avoir l'air de réciter des paroles qu'il aurait prises comme venant de ma mère.

— Bien, dit-il en riant, mais le coeur n'y est pas. Il se lève pour partir, puis il se rappelle qu'il n'a pas de voiture. Il se dirige vers le téléphone pour appeler un taxi.

— Tu dois être heureuse, dit-il à ma mère en composant le numéro.

— Non, dit ma mère.

— Allons donc…

— J'étais heureuse avant que tout cela arrive. Nous l'étions tous. Je voyais ce que devenaient les couples autour de nous, et je me disais que nous étions la dernière famille heureuse aux États-Unis, Martin, Molly et moi.

Mon père rajuste sa veste, il se dirige vers la porte, puis il hésite et se tourne à nouveau vers moi.

— Je crois que j'ai commis une erreur énorme en venant.

— Non, dis-je.

— Si tu peux me citer une seule bonne chose qui puisse sortir de tout cela, je t'écoute.

— Il y a eu beaucoup de bonnes choses.

— Lesquelles?

Le ton de sa voix est plus guilleret.

— J'ai découvert que vous n'êtes pas un méchant homme et que vous n'êtes pas avare. Je pense que tout ce qui s'est passé il y a si longtemps n'a plus d'importance maintenant.

Il se frotte le nez avec son index, comme s'il voulait réprimer une envie d'éternuer. Je m'approche de lui et je l'embrasse.

— Je n'arrive pas à le croire, dit-il. Jamais je n'aurais cru que les choses allaient tourner ainsi.

— Il y a autre chose, dis-je. Je vous pardonne, si jamais cela vous tracassait. Je vous pardonne vraiment. Je ne le pouvais pas avant de vous avoir rencontré. Donc, vous avez bien fait de venir.

La voiture de Sam est dans l'allée. La lumière des phares inonde la pièce. Une minute plus tard, Sam apparaît sur le seuil. Il s'est douché et il a l'air heureux que la représentation soit finie. Il secoue la main de Martin comme s'il allait en tirer de l'eau et il embrasse sur la joue ma mère qui en est toute surprise.

— Je me demande quand je vais te revoir, dit soudain mon père.

— Cela dépend de vous. Peut-être qu'au lieu de m'inviter à venir habiter avec vous vous pourriez m'inviter à aller vous rendre visite. J'irais.

— Alors, c'est ce que je ferai.

— N'attendez pas si longtemps la prochaine fois.

À ce moment, j'éprouve vraiment beaucoup d'affection pour mon père. Son visage exprime une lutte intérieure intense. Son taxi arrive. Sam me prend le bras. Maman et Martin disparaissent dans la cuisine avec leur verre et leurs pensées intimes.

— Elle doit être rentrée à onze heures, lance Martin d'une voix éteinte.

— Onze heures trente, marchande Sam.

Mon père se dirige vers le taxi qui attend, mais il s'arrête à l'entrée.

— Les choses ne sont pas toujours aussi simples qu'elles le paraissent, dit-il.

Le chauffeur de taxi klaxonne.

— Rappelle-toi ceci : elles ne sont pas toujours aussi simples qu'elles le paraissent.

Puis, il s'éloigne vite de nous en direction du taxi.

Je lui crie dans le noir :

— *Je sais*.

Mais je ne suis pas sûre qu'il m'ait entendue car il a claqué sa porte au même moment.

Sam et moi nous marchons côte à côte. Il a passé son bras autour de mes épaules et il me serre très fort.

# CHAPITRE VINGT ET UN

Le temps passe. Je ne refais pas de théâtre. Je me lance dans la lecture et l'écriture. Je deviens finalement écrivaine.

J'étudie le journalisme et la littérature à l'Université du Texas. Je sors avec d'autres garçons que Sam. Puis, je vais vivre un temps à San Francisco où j'écris des articles pour le *Chronicle*. J'ai un petit appartement qui donne sur la baie et Sam n'est plus qu'un souvenir.

Au bout de deux ans en Californie, je publie un livre et je suis étonnée de son peu de succès. Maman et Martin en achètent trente-cinq exemplaires et ils les distribuent parmi tous les gens qu'ils connaissent. Ils sont tellement fiers de moi. Je suis une auteure, une femme de talent.

Mon père vient me rendre visite à deux reprises. Il descend toujours dans un hôtel et nous allons manger en ville, à ses frais. Son affaire à Houston marche très bien et il est plein aux as. Nos dîners à San Francisco ressemblent à nos dîners à Santa Fe. Nous mangeons trop et nous ne parlons pas assez. Je n'ai pas l'impression de le *connaître*, pas au sens où je connais maman ou Martin. Mais à la longue, je me rends compte que c'est mieux que rien. Je peux décrire son visage, je peux dire son nom.

Martin et Maman sont toujours les mêmes. Ils sont toujours mariés, ils sont toujours propriétaires du Chile House.

Un hiver, j'en ai tout à coup assez de la Californie, et même de San Francisco. Je veux rentrer à la maison.

Alors, je prends la route de Santa Fe et je ressens l'impression que j'éprouve à chaque fois que j'y retourne. Les montagnes semblent se replier sur moi, pour m'accueillir, m'apaiser, me revigorer avec leur air pur et simple. Elles n'ont pas changé. Rien n'a vraiment beaucoup changé. Quelques magasins ont fermé et de nouveaux commerces sont éparpilléss çà et là. Mais les maisons de torchis, la fumée de pin pignon, la clarté du vaste ciel sont exactement les mêmes.

Et moi aussi, dans un certain sens, je suis la même.

J'ai grandi, bien sûr. Mais au fur et à mesure que j'approche, j'ai la sensation de rajeunir. Je passe devant le collège et je vois le Mur.

Et, devant le Mur, aussi incroyable que cela soit, se trouve Sam.

Il est plus âgé, il a forci et il a toujours son merveilleux sourire. J'ai envie d'arrêter ma voiture et de courir vers lui, mais je ne peux pas.

Je ne suis pas sûre que c'est lui.

Un jour, je le vois au Gourmet, assis tout seul à une table, devant un café. Il tourne une page du livre qu'il est en train de lire. Son visage est mélancolique. Je demeure le regard fixé sur lui.

Quand il lève enfin la tête et qu'il me voit, il me dévisage pendant un long moment, comme s'il n'arrivait pas à en croire ses yeux. Puis, sa bouche s'élargit en un immense sourire comique.

— *Molly? Molly!* il agite son grand bras comme le ferait un ours. *Viens*!

J'entre. Pendant un moment, nous redevenons Emily et George. Nous nous regardons timidement et nous parlons de tout sauf d'amour.

Puis, Sam me regarde de façon soutenue et dit :

— J'écris dans un journal. Je ne suis pas marié, tu sais.

— Moi, c'est la même chose.

J'ai envie de dire : *Je n'ai rencontré personne comme toi.* Furieusement, je remue mon café.

Ni lui ni moi nous ne faisons un mouvement pour partir.

— Si on allait voir un film ce soir? dit Sam brusquement.

— Comme ça?

— Oui, comme ça.

— Il y a un film que tu aimerais voir en

154

particulier?

— N'importe quel film, ça m'est égal. C'est toi que je veux voir.

— Ça n'arrive jamais, dis-je, que deux personnes se retrouvent après si longtemps.

Mais il se sourit à lui-même et me tire ma chaise. Il me conduit vers la porte. Pendant un moment, je suis submergée de bonheur et je répète :

— Cela n'arrive jamais.

Mais il ne veut rien savoir.

— Bien sûr que si.

— Ah, Sam…

— Bien sûr que cela arrive.

Il se penche pour me donner un baiser léger comme une plume. Je proteste en riant et il m'entraîne dans Santa Fe.

La boucle semble être bouclée. Mes parents continuent à tenir le restaurant. Mon père n'est toujours pas vraiment mon père. Et me revoilà à nouveau avec Sam, amoureuse de lui.

ACHEVÉ    D'IMPRIMER
EN    JANVIER    1988
SUR  LES  PRESSES  DE
PAYETTE & SIMMS INC.
À SAINT-LAMBERT, P.Q.